U0921065

冷月孤燈

唐浩明讀史隨筆集 三

岳麓書社·長沙

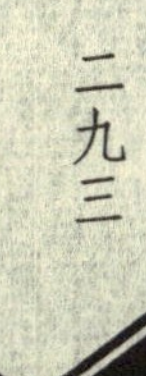

千金不換的回頭浪子

一百六十多年前，因國家政治的極度腐敗和民生的極端困苦，太平天國起事于廣西金田村。這一旨在以顛覆政府爲目標的革命行爲，得到南方各省百姓的普遍擁護，失去了戰鬥力的政府軍隊不能履行其應有職責，使得這次革命行爲很容易地便取得重大的勝利，僅僅兩年多的時間，便立國定都，大封有功，所有參與其事的新老弟兄都獲得程度不等的榮耀和財富，嘗足了革命的甜頭。但是，從天王到兩千多位列王，一直到數十萬聖兵，也衹享受了十幾年的風光，便在歷史舞臺上急匆匆地消失了。他們的主要剋星是由湖湘子弟所組成的湘軍。領導這支湘軍的人，除衆所周知的曾國藩外，還有三個知名人物，他們合起來被史家稱爲『中興四大名臣』。這三個人中的左宗棠和彭玉麟得享高壽，晚年因爲有收復失地、抵禦外侮之功，常被後人提起。另一個人，因爲死得早的緣故，不大受後世重視。其實，此人在湘軍領導層中至爲關鍵。他的名字叫胡林翼，字潤之。

胡林翼爲湘軍事業所做的貢獻，首在率領一支人馬，在咸豐四年八月從太平軍手中收回武昌、漢陽。在此之前，湘軍打仗，敗多勝少，朝野對這支來自民間的體制外的練勇不抱多大的希望，一旦華中兩重鎮同日收復，湘軍聲譽立時鵲起。這對改善湘軍的處境，提高湘軍的地位，加重湘軍『奪標』的籌碼，都有著極爲重要的作用。作爲前敵總指揮，胡林翼也便從挂名的四川按察使調補爲握有實權的湖北按察使，爲他晚年的湖北事業奠下厚實的基礎。

胡氏軍事上的另一個成功，是于咸豐六年十一月再次率部收復被太平軍奪回的武昌、漢陽。胡氏本人也因這個功勞，被朝廷簡授湖北巡撫，成爲一方諸侯。胡氏的這個成功，對湘軍的最後攻克南京奪取天下首功，所起的作用不可估量。

作爲勝利之師的湘軍，在十餘年的戰爭經歷中，先後出了數以千計的文武高級官員，最先獲得方面大員高位的是江忠源。此人以一知縣的資歷，衹用了五六年光景，便做到了安徽巡撫，成爲湘軍中第一個大出風頭的人物，可惜第二年便兵敗投水自殺，他手下的人馬也隨之解散。江忠源并没有爲湘軍的興盛起實質性的作用。第二個做巡撫的便是胡林翼。胡氏從咸豐六年十月起到咸豐十一年八月去世時止，整整做了五年鄂撫。這五年，正是湘軍發展壯大的關鍵時期。

曾國藩統率湘軍的主力順流東下，眼睛牢牢盯著的是太平天國的都城天京。鑒于江北江南大營的師老無功，以及歷史上攻打金陵城的成功經驗，曾國藩制定了扼控長江、鎖定上游、沿江推進、步步爲營的戰略方針。于是，胡氏治下的湖北省，便成了東進湘軍的穩固根據地和給養的可靠供應處。

朝廷財政窘迫，百姓生計艱難，籌餉一直是非正規部隊的湘軍的頭等大事，也是帶勇將領們最爲頭痛的大事。大部分湘軍頭目，不受軍紀和道德的約束，每攻下一座城池，必掠盡

那一年，胡林翼護送岳母去南京，與時任兩江總督的岳父陶澍團聚。見南京繁華奢靡，他不願回湖南老家，賴在岳家不走，終日沉湎在秦淮河畔歌臺舞榭的醉鄉綺夢中。有人勸陶澍教訓女婿。陶笑道『潤之今後將擔大任，那時辛苦，無暇豫樂，趁著現在年少無事，就讓他快活幾年吧』，終不加勸阻。

有這樣的岳父撑腰，胡林翼更加有恃無恐了。倒是他的父親胡達源看不過去，在一次胡氏花酒夜歸時，胡達源不顧衆人的泣勸，關起房門，將兒子打得死去活來，命令他一年之内不得出大門，在家好好溫習功課，以應明年的鄉試。

胡林翼既不能與父親作對，又深知功名的重要，遂發憤苦讀，第二年果然鄉試高中，翌年又連捷中進士點翰林，時年僅二十五歲。

身爲翰林的胡林翼仍不改積習。《花隨人聖庵摭憶》裏講了這樣一則往事：

有一天，胡林翼與同鄉善化籍翰林周荇農一同逛妓院，正在興起時，忽報巡兵來了。周機警，急忙躲進厨房，穿上別人的衣服冒充厨子，逃過了檢查。胡則被拘捕至兵馬司審訊。他不敢暴露自己的身份，招了一段假供，罰款了事。胡恨周臨難弃友，不厚道，遂與之絶交，且遷怒善化縣，以後帶勇打仗，也决不重用善化籍人。

胡林翼的浪蕩，終于使自己吞了一枚苦澀無盡的惡果：他一生大小老婆娶了七八個，任誰也没有給他生下一個兒女。毫無疑問，這是性病毁了他的生育能力。

真正使胡林翼大徹大悟、痛改前非的是四年後的江南鄉試案。那一年，文慶任主考，他任副主考，一同主持江南鄉試。不料，他們違規携帶別人入闈閱試卷之事被告發。結果，文慶謫戍新疆，胡降一級左遷内閣中書。此事對胡的父親打擊很大，第二年便因鬱病去世。

胡氏爲此深自悔恨。父親的去世，也使他頓覺家族的重任將壓在他一人的身上。丁憂期間，他痛定思痛，反躬自省，下决心再不像過去那樣荒廢年月了。胡氏從此收取放心，折節向學，走上封建時代爲士大夫所規定的正路。

三年服滿後回京，本擬循例補中書，考慮到中書官位太卑微，即使升到一個中級官員都遥遥無期，功利心切的胡林翼趁著陝西鬧灾荒的機會，向師友貸款一萬五千兩銀子，捐了個知府銜，很快便分發貴州署理安順府知府。

貴州號稱不毛之地，又多盜匪，官吏視爲畏途，有人寧肯丢掉前程也不願赴任。胡林翼因捐重金，本可自行選擇别省，他主動請發貴州，除開他的父親曾做過貴州學政一層原因外，主要是他看出匪亂多的貴州，正是英雄的用武之地。

後來的事實證明胡氏的眼光是深遠的。正是因爲貴州的剿匪生涯，鍛煉了他的實戰本領，使得他由一個浪蕩公子文弱詞臣，轉變爲一位吃苦耐勞能辦實事的幹員，爲腐敗的晚清官場造就了一個少有的人才。他的帶兵打仗的才幹，先被湖廣總督吴文鎔所看重，後又被正在湖南主辦團練的曾國藩所青睞。

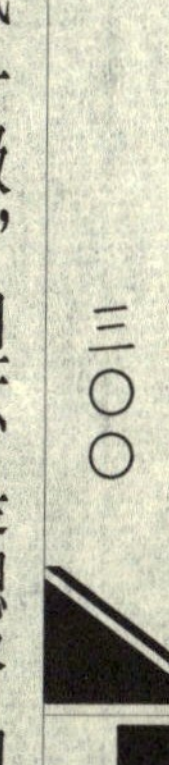
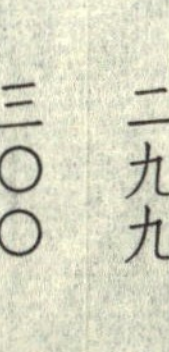

當他奉吳文鎔之召，帶著六百名黔勇來到湘鄂交界之處，忽聞吳文鎔戰歿的消息，無所依憑的時候，曾國藩勸湖南巡撫駱秉章供應胡氏部屬的餉需，又上奏朝廷，力薦胡氏，稱『胡林翼之才勝臣十倍』，希望朝廷同意將胡留在湖南歸他調遣。

顯然，曾國藩認定胡氏十倍勝過自己的『才』，指的正是胡氏在貴州所表現出的實戰之才，而這，又恰恰是曾本人以及他手下包括羅澤南、李續賓在內那一班書生將官所缺乏的。人們都說這話是曾國藩的遜詞，其實不然。

胡林翼在貴州與匪盜打了六七年交道，經歷過大小戰事數百起，而曾國藩卻一直在京師做太平官，從未與聞兵事，湘軍中絕大多數營哨官，也都是剛從書齋裏走出，毫無戎馬體驗，徒有一腔熱血而已。在打仗這件事上，曾國藩等人豈可與胡林翼相比！『十倍』云云，乃是大實話。曾國藩和他的湘軍，此時此刻是多麼需要胡林翼及其黔勇加盟啊！胡氏也果然不負所望，他後來軍事上的節節勝利，爲他本人的飛黄騰達，也爲曾國藩及湘軍集團的最後成功鋪平了錦繡之途。

早年的放蕩，說明胡林翼不是個循規蹈矩的人；貴州的芒鞋短衣歲月，也讓他獲得更多的聖賢之外的學問。這些，恰好使他少了曾、左、彭等人身上所因襲的束縛，把官場上的事辦得靈活圓滑。有一則廣爲流傳的故事，最能體現胡氏的爲官之道。

胡氏做湖北巡撫時，總督爲滿人官文。清制，總督主持軍務，也兼管民事，品級爲正二品；巡撫主管民事，也管一點軍務，品級爲從二品。巡撫品級雖低一級，但不是總督的屬官，各自對朝廷負責。這樣一種交錯的局面，原是爲互相牽制而設置，却又最易生出糾葛。于是同城之督撫不和，便成爲清代官場上的通例。官文以協辦大學士的身份出任總督，地位崇隆，但此人才能平庸，與湖北地方官員多有不和。胡林翼起初也很瞧不起這個不懂軍事的制軍大人，以至于官文三次親往拜訪，胡氏居然托詞不見。

于是，有頭腦明白的人向他曉以利害：你不是想削平巨寇底定江南嗎，天下哪有督撫不和而辦成大事的？官文庸碌，正好利用。你不如傾心結交他，使他相信你，放手由你去做事，讓他坐享其成。你以巡撫而兼總督，集軍務民事大權于一身，何愁大事不濟？

胡林翼一點就通，深以爲然：自己是巡撫，但眼下所辦的主要是軍務，而軍務的權本在總督手中，若他有意爲難，這軍務怎麼辦？

胡林翼一旦醒悟過來便立即改過。他親登總督衙門，以最隆重的禮儀、最甘美的言辭，向官文表達自己的一片仰慕之心。庸碌無爲的官文，見譽滿海内的胡林翼如此對待自己，心中甚是高興，遂與之訂交。胡又探知官在衆多妻妾中最寵愛三姨太，便以夫人的名義邀請來家做客。胡夫人對三姨太禮遇甚隆，胡母又以無女爲憾，認三姨太爲乾女兒。老太太拿出金簪子、金耳環、金戒指、金手鐲等全套金器來送給乾女兒。官文的三姨太乃平民出身，受胡家這等禮遇，感激莫名，遂在枕邊爲胡頻吹和風，使得官對胡的好感愈深。

感激莫名，遂在枕邊頻頻吹風，使得官文對胡的好感愈深。

金耳環，金手鐲，全套金器送給乾女兒。官文的二姨太乃平民出身，受胡家這番禮遇，

做客。胡夫人對二姨太大獻殷勤，胡母又以無女為憾，認二姨太為乾女兒。老太太拿出全套

中甚是高興，遂與之訂交。胡又探知官文最寵愛二姨太，便以夫人的名義邀請來家

向官文表達自己的一片仰慕之心。官文見湖北巡撫胡林翼如此尊重自己，也

胡林翼一旦醒悟過來，便立即改過。他親自備了厚禮登門，以最謙恭的言辭

總督手中。[illegible]

胡林翼一點就通，深以為然：自己是巡撫，但眼下所辦的主要是軍務，而軍務的指揮權在

[illegible]

[illegible]

[illegible]

[illegible]

[illegible]

[illegible]

清制：總督主持軍務，也兼管民事，品級為正二

[illegible]

不久，三姨太過三十整壽，官文向湖北官場遍發帖子。藩司以爲是總督的夫人過生日，便親往祝賀。來到官府大門，知是姨太生日，撂下一句『我堂堂藩臺不能爲小妾祝壽』的話後，轉身便走。武昌城各大衙門得知內情，均按兵不動。時已正午，三姨太見無一要員前來，心裏又急又愧。

巡撫衙門裏的僕役，將這一切告訴撫臺。胡林翼笑著說：『好個有骨氣的藩司，令人敬佩！但我與他不同，三姨太是我的乾妹，豈有爲兄的不爲妹賀生的道理！』

胡氏坐上八抬大轎，排場十足地吆喝著來到官府。各大衙門見撫臺前往祝賀，遂紛紛出門來湊熱鬧，連不給小妾做壽的藩司也改變了主意。胡林翼爲三姨太賺足了臉面，官文對此感激不已。

從此，官文將軍務全盤交給胡林翼，一切按胡的意見辦理，他衹畫諾簽名而已。在官文這邊，安享清福，不費半點心思，坐得功勞。在胡林翼那邊，軍政大權一人獨攬，我行我素，毫無掣肘，心中所思，便是手中所行。真個是各得其所，兩全其美。武昌城內督撫水乳交融的關係，一時傳爲美談。湖北軍務的進展，也便大爲順利。

然則真要論究起來，胡氏玩的這種手法，實在算不得體面，也決不是正道。它衹能做，不能說；衹可私相授受，不可載于典册。倘若細細地研究胡氏一生在官場上的所作所爲，大致不出這個範圍。怪不得他與曾、左的共同朋友名流歐陽兆熊，在他死後論道：『歷代史書人物，

跅弛不羈之士，建立奇功者有之，至號爲理學者却少見。胡文忠以紈絝少年一變而爲頭巾氣，究竟文忠之所以集事者，權術而非理學也。』（見徐凌霄、徐一士著《曾胡譚薈》）

胡林翼靠權術而成事，此論可謂一針見血。實際上，這也是古今回頭浪子做成大事的通常路數。浪蕩子弟一旦醒悟，是可以收斂惡習，努力去做大事業的。但這些人做事，大多會不擇手段，不受約束，善權變而不喜守經則。這是因爲他們長期以來走的是有別于規範的另一條道路。他們衹想做豪杰，不願做聖賢，追求的是事功，并不是理念。而事實上，世間成就轟轟烈烈事業的又多是豪杰式的人物。聖賢做的是化育人心的事，它潤物無聲，而不轟轟烈烈。史書喜載、世人樂道的都是轟轟烈烈，所以李白感嘆『古來聖賢多寂寞』，而人類也就少見『三立』完人。

古今難尋彭玉麟

光緒十六年春天，剛由兩廣總督調任湖廣總督的張之洞，得知他非常尊敬的一位長者去世的消息，心中憮然，悵惘良久後寫下一首五言長詩：『神州貫長江，其南際漲海。江海幸息浪，砥柱今安在……』這位被張之洞視爲國之砥柱的人物，便是與曾國藩、左宗棠、胡林翼并稱爲中興四大名臣的彭玉麟。張之洞比彭玉麟整整小了二十歲，是因爲一個意外事件的爆發，纔將他們連在一起的。這個意外事件乃光緒九年底發生在越南的中法戰爭。爲了加强兩廣的防務，朝廷命彭玉麟領兵開赴廣東。隨後，又罷免失職的兩廣總督張樹聲，調山西巡撫張之洞繼任。張之洞做京官時，便以清流領袖譽滿朝野，治晋三年，政績顯著，又年方四十七歲，正是一個高級官員的黄金歲月，由巡撫晋升總督，調任艱巨，朝廷此番人事安排，可謂人地兩宜。而彭玉麟年近古稀，體衰多病，爲什麽要起用一個白髮蒼蒼的老人帶兵親赴前綫？此人究竟有何過人之處，以至于朝廷非用他不可呢？且讓我們來見識一下這位被歷史灰塵所淹没的近世人物。

生于嘉慶二十一年的彭玉麟，直到三十七歲時還是個潦倒家鄉的窮秀才。眼看這一生就要如此困厄地度過，忽然間，一個從天而降的機遇落到他的頭上。咸豐三年，從長沙被擠對出局的團練大臣曾國藩率領一千湘勇來到衡州府。曾氏懷著衛道忠君、揚名出氣等多種心情，决定藉衡州府這塊軍事要地大力擴充湘軍，并極有遠見地籌建十營水師。就在這時，彭玉麟有感于曾氏的多次懇切相邀來到軍營，并受命帶領一營水師。彭玉麟由此起家，很快便統領整個水師，直到同治三年，與曾國荃的吉字營配合打下南京，同水師另一統領楊載福一道受賞一等輕車都尉世職，加太子少保銜。楊載福隨即赴蘭州就任陝甘總督，彭則以兵部侍郎身份一人獨領水師。在湘軍十裁其九的大遣散時期，水師則破例被全軍保存，列入朝廷的經制部隊，改名爲長江水師。彭親手制定長江水師章程，并依此章程重建水師。晚清政府一支重要軍事力量，遂由此産生。這是彭玉麟爲中國軍事史所作出的一大貢獻。但作爲一個歷史名人，彭生命中最有價值的部分，似乎主要不在這裏，而在于他特立獨行的處世態度。他一生最引人注目的事，便是他曾經先後辭謝過六項任命，而朝廷所任命的這些官職，都是世人眼熱的要缺。

第一項任命是安徽巡撫，時在咸豐十一年。彭玉麟當時的官職是布政使銜水師統領。巡撫即今天的省長，布政使銜則相當于副省級。現任省長與副省級待遇，這二者幾無可比性。放下權力的大小不說，水師統領成天住顛簸逼仄的船艙，巡撫則住都市寬敞舒適的衙門，二者孰優孰劣？這項多少人夢寐以求的任命，彭却一連三次辭謝，其理由是已習于軍營而疏于民政，請朝廷勿弃長用短。面對著這樣的『傻子』，朝廷真是哭笑不得，衹好收回成命，改任彭爲兵部侍郎，依舊留在前綫督帶水師。彭這纔坦然接受。

同治四年二月，朝廷任命彭玉麟署理漕運總督。漕運，就是解往京師糧食貨物的水上運輸業。漕運總督掌管魯、豫、蘇、皖、浙、贛、湘、鄂八省的漕政，是一個實權極大的正省級官員，衹要稍微鬆鬆手，成千上萬銀子的灰色收入便會不露痕迹地進入其私人腰包，乃衆人所垂涎的天下一流肥缺。但彭又兩次謝絶，理由除不懂漕政外，又加上性情褊急、見識迂愚，不會與各方圓通相處。朝廷衹得作罷。這是第二次。

第三次是在同治七年六月，彭上疏請辭已當了六七年的兵部侍郎。原因是當年從軍時，三年母喪衹守了一年，現在國家安定，他理應解甲歸田，將剩下的兩年補滿。這次朝廷没有挽留，一口答應。彭離職休養三四年後，朝廷又任命他爲署理兵部侍郎兼同治帝大婚慶典宫門彈壓大臣，也就是兼任婚慶時期的紫禁城保安司令。待到慶典一結束，彭立即上疏請辭署兵部侍郎。朝廷接受後，又交給他一項差使，即每年巡視長江水師一次。

光緒七年七月，朝廷任命彭爲署理兩江總督兼南洋通商大臣。兩江轄地既廣，又兼物産豐茂，南洋通商大臣一缺更是權大責重，一向非名宦宿臣不能爲。中興名臣曾國藩兄弟、李鴻章、劉坤一等人都曾任過此職。讓六十六歲的彭玉麟出任江督，説明朝廷對彭的倚重，但彭不領這個情，接旨後即上疏請辭，隔日後又再次上辭疏。朝廷無奈，衹得把此要缺交給左宗棠。

第二年，朝廷任命接連辭去五個崇職的彭玉麟爲兵部尚書，即今天的國防部長。與過去一樣，彭接旨後即請辭，朝廷未准。不久，中法戰爭爆發，朝廷命彭率領舊部將士并增募新軍，迅速前往廣東部署海防。彭認爲此時不宜再辭，便以衰病之軀奉旨赴粤，帶領所部駐扎南海前綫。光緒十一年三月，中法戰争剛結束，便上疏請開兵部尚書缺，朝廷未予接受。彭又于這年八月、十二年八月、十三年七月、十四年六月接連四次上疏請求開缺。鑒于彭的執著，朝廷衹得接受。光緒十六年三月，彭玉麟以平民之身病逝于衡陽城内退省庵，終年七十五歲。

古往今來，有多少人求官、跑官、鑽官、買官，又有多少人爲了升官，什麽卑鄙無恥的事都幹得出，還有多少人或顢頇無能，或老邁病弱，却依舊占著一個職位不放。像彭玉麟這樣一生辭謝六項崇職要缺，甘願做苦役實事，甘于做普通百姓的人，衡之古今官場，實在是鳳毛麟角，難尋難覓。

有人會問，彭玉麟既然如此不願做官，那當初又何必出山投軍，不如做個王冕式的隱者，豈不省去許多麻煩？

在中國文人的心目中，隱者一向有很高的地位。其實，許多隱者對社會毫無責任心，是自私的人，并不太值得尊重。人類需要對群體有愛心的人，一個人若有能力有條件爲群體做事的時候，是應當挺身而出的。彭玉麟正是基于此而出山投軍。面對著社會極度混亂良民無法安生，中國優秀文化遭受毁滅性灾難的時候，彭玉麟自認爲有責任維護道統撥亂反正，他于是憤而墨絰從戎：『滿地干戈冷陣雲，一腔熱血噴斜曛。黄巾肯使長流毒，墨絰何妨再策勛。彈鋏悲歌休作客，請纓投筆又從軍。愧予胸少陰符術，惟盡丹忱夙夜勤。』他初見曾國藩，

就表示惟盡力辦事，『不求保舉，不受官職』。正是因爲這種態度，曾氏從一開始便格外賞識彭。

應當説，政府置官設職，其目的，本是讓有官有職者更方便地爲國家和百姓辦事。然而，與天下任何良法美意一樣，行之愈久，則初始意圖便愈模糊，到後來則面目全非，根本就不是當初那回事了。數千年來，活躍于官場上的人，少有始終目標堅定將辦事擺在第一位的頭腦清晰者，多的是爲做官而做官、爲遷升而做官的官迷，以至于連推翻皇權顛覆封建官場的革命領袖孫中山也要告誡黨内同志：『有志之士，應當立心做大事，不可立心做大官。』彭玉麟可謂目標始終明確堅定、真正懂得置官設職意義的封建官場中的大官員：能爲做大事提供幫助的官職，他并不推辭，如兵部侍郎、尚書等；不能爲做自己熟悉的大事有所幫助的官職，即使品級崇隆、權限廣大，他也不接受，如巡撫、總督等等。可惜的是，自古到今，這樣的人太少了！

同治十一年到光緒九年這段時期，彭玉麟六次巡閲長江水師。他以病軀奔波于江風海濤之中，督察長江水師的軍風軍紀，察訪長江兩岸地方的社情民意。從提督、總兵等高級武官到低級員弁，彭先後參劾其中的平庸惡劣者一百多人，并就地處決淫惡窺法殺友殺妻的副將兩員，還參劾江南軍需局道員趙繼元、江蘇候補道朱麟成等八人，又奏請革除道員王詩正、知縣柳葆元等。長江水師岳州鎮總兵彭昌禧年近七旬，精力衰頽，不能勝任職守。彭玉麟奏請將他開缺。彭昌禧以老部屬的身份請他關照，他斷然拒絶。彭玉麟這種不講情面、不受請托、不怕犯衆怒、不懼打擊報復的剛正嚴明的執法作風，令長江水面及兩岸的文武官場爲之敬畏戰栗，在腐敗透頂的晚清官場堪稱絶無僅有。正因爲此，彭死後朝廷謚爲剛直。

彭玉麟敢于以孤膽勇鬥整個黑暗官場，并非因爲他立有赫赫戰功，也不是他的聖恩特别優渥，而是出于他本人强大的人格力量。同治七年六月，彭玉麟在一份奏摺中寫道：『臣素無聲色之好、室家之樂，性尤不耽安逸，治軍十餘年，未嘗營一瓦之覆一畝之殖，以庇妻子。身受重傷，積勞多疾，未嘗請一日之假回籍調治。終年風濤矢石之中，雖甚病未嘗一日移居岸上。』現存的多種史料可以爲證，彭玉麟對皇帝説的這番話是實情而不是自我虚誇。就在一年多前，彭還將歷年所得養廉費上繳國庫，并拒絶接受奬叙。曾國藩爲此上奏，説彭『淡于榮利，退讓爲懷，自帶水師以來，身居小舟十有五年，從未謀及家室，此次捐助養廉，力辭奬叙，出于至誠』。

打劫錢財，搶掠戰利品，幾乎是所有野史對湘軍軍營風氣的一致記載。這種風氣彌漫各營各哨，從上到下，少有例外。就在這『少有』人員中，便有彭的『未嘗營一瓦之覆一畝之殖』。彭在同治十二年的一份奏摺中説：『臣以寒士始，願以寒士歸。』懷抱這種志願的人，古今中外能有幾人？一個願以寒士歸的官員，自然不會貪財受貨，也自然在那些貪官面前不怒自威。

彭身居小舟，不貪世俗聲色之樂，但他的生活中并不乏樂趣，充塞他的心靈構築他的精神世界的是詩畫藝術。彭好吟詩。岳麓書社出版的《彭玉麟集》收有詩詞五百多首，這其實遠

不是他的詩詞全部，傳説彭僅咏梅詩便有一萬首，而這一萬首咏梅詩又都是題在他的梅畫上的。

彭一生喜梅畫梅，近于痴狂。他説他『平生最薄封侯願，願與梅花過一生』。他爲何對梅花如此情有獨鍾？在一首題梅詩中，他自己透露了此中消息：『我自梅花梅似我，一癖共聊玉蘭賓。』原來，彭已將自身與梅花合爲一體。彭的梅畫自然是中國傳統的文人畫。中國文人畫的可貴之處便是藉畫言志，以筆底丹青來表達自己的情性、意趣、志嚮和追求。梅花高潔、清幽的品性，孤標脱俗、傲立霜雪的形象，在畫家的心目中已化爲他的自身。彭的梅畫由此而達到很高的品位。難怪他死後，王闓運挽道：『詩酒自名家，更勛業爛然，長增畫苑梅花價；樓船欲渡海，嘆英雄老矣，忍説江南血戰功。』

關于彭的畫梅，傳聞中有另一種説法，説彭的梅畫其實是在述説他心中的一段永遠的情憾：他早年深愛的一位梅姓女子，因種種緣故而不能結合。梅女因此抱憾早逝。彭發誓以一生的光陰畫一萬幅梅花來懷念她。彭説到做到，他畫了整整半個世紀！彭玉麟眉目峻厲，性格剛硬，連殺人如麻的曾老九都説他是一個拒人于千里之外的冷面漢子。不料這個冷面漢子的内心裏，竟有著如此豐富而綿長的熱腸柔情。他算得上天地間一個真正的男人！

九帥曾國荃：時勢造就的豪杰

同治三年六月二十九日，清朝廷因湘軍攻克南京一事頒發上諭，封曾國藩爲一等侯、曾國荃爲一等伯。非皇親國戚而由書生出身的親兄弟同日封侯封伯，這種事在中國三千年封建社會裏幾乎絶無僅有。

關于一等毅勇侯曾國藩，這些年説的人太多了，對于一等威毅伯曾國荃，專題談論的則不多。我今天簡單地給大家作點介紹。

一、聰慧倔强的優貢生

清道光四年即西元一八二四年八月二十日，曾國荃出生在湘鄉荷塘都即今天的雙峰荷葉鎮。這是一個三代同堂的耕讀之家。靠著祖父的多年積纍、父親的長年舌耕，雖然家中人口衆多，但日子可以衣食無憂地過得下去。曾國荃出生時，已有三個哥哥，三個姐姐。長兄曾國藩比他大十三歲，次兄曾國潢比他大四歲，三兄曾國華比他大兩歲。五歲時，最小的弟弟國葆出生。曾國荃在族中排行第九，俗稱老九。帶兵時期，軍中呼之爲九帥。

曾國荃五歲發蒙，在父親所辦的私塾利見齋讀書。九歲時，有人以『小人有母』四字求對，曾國荃以『帝乙歸妹』作答，一時令人驚奇。『小人有母』四字出自《左傳》，『帝乙歸妹』四字出自《易經》，可見當時曾國荃已能熟記并理解《易經》與《左傳》。對于年僅九歲的

九帥曾國荃：時勢造就的豪杰

一、塑造倔強的真性格

清道光四年即西元一八二四年八月二十日，曾國荃出生在湘鄉荷葉

同治三年六月二十九日，

四字出自《易經》，可見當時曾國荃已能熟記并理解《易經》與《左傳》。對于十幾歲的

小孩子來説，這意味著有讀書的天賦。

十七歲那年，曾國荃跟隨父親護送大嫂歐陽夫人與侄兒曾紀澤進京。那時曾國藩已在翰林院任從七品檢討。老九進京的目的，是在大哥的指點下一心一意讀書求學，期待能像大哥那樣，通過科舉這條路出人頭地。所以當第二年春天，父親離京返湘時，老九被留下來，住在大哥家。

翰林院清閑，公事很少，曾國藩有大量的時間在家讀書做詩文。他那時又在唐鑒與倭仁等人的指點幫助下，修身自律，對自己的各個方面都予以嚴格要求。藉助早年的日記，我們看到，這種嚴格的要求也體現在對老九的教育督促上。在過去的時代，本有長兄當父的觀念，何况這個長兄大過弟弟十三歲，曾國藩飽含著以教弟來回報父母之恩的孝心，滿腔熱情地指點老九。在那段時期的日記中，幾乎每天都有大哥教九弟讀書、爲九弟改文改詩的記載。有一天的日記，至今讀來仍令人動容。這天夜晚外出歸來，大哥與九弟談起讀書的事。九弟後悔從前沒有好好讀書。做大哥的擔心若再不認真教他，很可能他這一生將無成就，儘管身體病弱，但寧可放弃自己用功的時間，也要好好地指導九弟。

做大哥的這等盡心盡意，但做弟弟的并不完全配合。從道光二十一年八月起，老九開始不讀書了，天天吵著要回湖南老家。大哥問他什麽原因，他也不講。更令大哥難堪的是，從九月份開始，他也不跟大家一道吃飯，堅持要一人在自己的房間裏吃。大哥無奈，衹得離開妻兒，陪九弟一道吃飯。天天如此，弄得家中氣氛極不和諧。大哥耐心地跟他説：親兄弟之間，沒有什麽話不可以説的，千萬不要積壓在心裏。若是我這個做大哥的有什麽不對，你就直説，甚至争吵也不要緊。若我不接受，你還可以寫信給父母，讓父母來批評我。你年紀還小，一個人回去，我們怎能放心？何况還要浪費金錢，錯過光陰，令遠在幾千里外的父母寢食不安。這是萬萬不能做的事件。又寫了一封長達兩千多字的信，詳詳細細地説明不能回家的原因，還作詩一首加以勉勵。大哥的這番苦心，老九雖然也有所感動，但并不改變自己的心意，也始終不將原委給大哥吐露一個字。老九的倔强性格已開始顯露出來。直到十月十一日，也就是大哥進三十的這一天，老九突然一改過去，换上整齊的衣服，恭恭敬敬地端起酒杯，爲大哥祝賀生日。從那天開始，老九又跟哥哥嫂嫂一起吃飯了。轉年初夏，老九在北京大病，病愈後回湘之心更加强烈，大哥知不能再留了。七月中旬，趁著一個湖南同鄉探親的機會，老九與其結伴，離京返湘，結束一年零八個月的寓居京師的歲月。

儘管因念家而常有心緒不寧，但總的來説，曾國荃在京師的表現還是很好的。這從曾國藩給祖父母、父母的家信中可以看出。大哥稱贊九弟讀書用功，領悟力强，尤其是字寫得好。品行端方，在京期間，絶無不良行爲，對兄嫂也很禮貌。善于鑒人的曾國藩，由此看出九弟的潛才。他曾經用詩對三個弟弟分别作出衡鑒：『辰君平正午君奇，屈指老沅真白眉。』生于庚辰年的曾國華與衆不同，而如同馬良一樣真正能做大事小孩子來說，這意味著有讀書的天賦。

十七歲那年，曾國荃跟隨父親護送大嫂歐陽夫人與侄兒曾紀澤進京。那時的曾國藩已在翰林院任從七品檢討。老九進京的目的，是在大哥的指點下一心一意讀書求學，希望能像大哥那樣，通過科舉這條路出人頭地。所以當第二年春天，父親離京返湘時，老九被留下來，住在大哥家。

翰林院清閑，公事很少，曾國藩有大量的時間在家讀書做詩文。他那時又在唐鑑、倭仁等人的指點幫助下，修身自律，對自己的各個方面都嚴格要求。翻開早年的日記，我們看到這種嚴格的要求也體現在對老九的教育督促上。在過去的時代，本有長兄當父的觀念。何況這個長兄大過弟弟十三歲，曾國藩滿含著以教弟來回報父母之恩的孝心，滿腔熱情地指導老九。在那段時期的日記中，幾乎每天都有大哥教九弟讀書、為九弟改文改詩的記載。有一天的日記至今讀來仍令人動容：這天夜晚外出歸來，大哥與九弟談起讀書的事。九弟談從前從師不好讀書，做大哥的擔心若不認真教他，很可能他這一生將無所成就。儘管身體欠安，但寧可放棄自己用功的時間，也要好好地培養九弟。

做大哥的這等盡心盡意，但做弟弟的並不完全配合。從道光二十一年八月起，老九開始不讀書了，天天吵著要回湖南老家。大哥問他什麼原因，他也不講。更令大哥難堪的是，從九月份開始，他也不跟大家一道吃飯，堅持要一人在自己的房間裏吃。大哥無奈，只得撇開

妻兒，陪九弟一道吃飯，天天如此。兄弟家中最忌諱不和諧。大哥耐心地跟他說：「兄弟之間，沒有什麼話不可以說的。千萬不要積壓在心裏。若是我這個做大哥的有什麼不對，你就直說，甚至爭吵也不要緊。若我不接受，你還可以寫信給父母，讓父母來批評我。你年紀還小，一個人回去，我們怎能放心？何況還要花費許多盤纏。請你想想，遠在幾千里外的父母親會不放心，這是萬萬不能做的事。」又寫了一封長達兩千多字的信，詳詳細細地說明不能回家的原因，還作詩一首加以勉勵。大哥的這番苦心，老九雖然也有所感動，但並不改變自己的心意。也始終不將原委告訴大哥半個字。老九的倔強性格已開始顯露出來。直到十月十一日，也就是大哥進三十的這一天，老九突然一改過去，換上整齊的衣服，恭恭敬敬地端起酒杯，為大哥祝賀生日。從那天開始，老九又照常讀書，但一定要走了。轉年初夏，老九在北京大病，病愈後回湘之心更加強烈。大哥知不能再留了。七月中旬，恰逢同鄉回湘探親的機會，老九與其兄作別，辭京返湘，結束一年零八個月的寓居京師的生涯。

儘管因念家而常有心緒不寧，但總的來說，曾國荃在京師的表現還是很好的。從曾國藩給父母的家信中可以看出，大哥稱讚九弟讀書用功，通情達理，尤其是字寫得好，品行端方。在京期間，幾無不良行為，對兄嫂也很禮貌。善于識人的曾國藩，由此看出九弟的將才。他曾經用詩對三個弟弟分別作出評鑒：一長君平王佐才，屈指老沅真白眉。生于庚辰年的曾國潢平平常常，生于壬午年的曾國華與眾不同，而如同思良一樣真正能做大事

業的則衹有曾國荃。後來的事實證明，大哥當年的這番預判，一一兑現。常言説，知弟莫若兄。其實，很多爲兄的不能知弟，像曾國藩這樣對三個弟弟都能如此精準的評估，并不多見。

在後來的歲月裏，曾國藩常常懷念九弟在京師求學的情景。他説：『違離予季今三載，辛苦學詩絶可憐。』『何日聯床對燈火，爲君爛醉舞仙僛。』辰君午君都有過長住京師隨兄讀書的經歷，但未見做大哥的有詩懷念，獨獨對老沅情意深長，可見老九從小起便在兄弟中不同凡俗。應該説，一年零八個月的京寓日子，使得老九的詩文學問有了很大的長進，大哥的刻苦自勵也給他深刻的印象，往來大哥家的時代精英必然會開拓他的胸襟見識，老九一生的學問志業，其基礎實奠定于此。這段歲月也長記于老九的心間。他寫詩給人説：『我方十六游京國，海上揚塵正沸騰。』他爲《鳴原堂論文》作序説：『國荃少侍公京邸，從而問學。』他在爲長兄寫的祭文中，更把這種對大哥的教誨之恩而懷抱的感激之情寫得催人泪下：『憶我髫齡，相從京國。兄官檢討，不遑日昃。寒暑不時，我躬是賊。兄既藥之，彷徨我側。百拜終宵，虔祝斗北。我病既痊，喜形于色。解手南歸，勖我以德。一别十秋，燕城楚域。渺矣慈雲，恩同罔極。相見之初，五經俱墨。』

曾國荃果然也没有辜負大哥對他的期望，回家後與兄國華一道進入長沙城南書院讀書。遵循大哥的指點，不沉溺于科舉考試中，兄弟倆又拜羅澤南爲師，研習先輩大家之文。二十四歲那年考中秀才。三十二歲時又考中優貢生，成爲曾國藩四個弟弟中功名最好的一個。

二、死仗硬寨的鐵桶將軍

咸豐六年，是曾國荃一生中最大的轉折點。那年他三十三歲。春天，他來到長沙，擬赴北京參加廷試。貢生，即向朝廷貢獻生員之意。各省從該省秀才中選拔優秀者進京，通過考試後進國子監讀書。貢生分歲貢、恩貢、拔貢、優貢、副貢五種，這五貢都算作正途，即具有做官的正式身份。正逢戰亂時期，道途阻隔，不能北上。于是曾國荃就捐了一個同知官銜。同知即知府的副手，爲正五品銜。當然，這是個花錢買來的有銜無職的空頭官位。

這時，曾國藩正率領湘軍在江西打仗，仗打得極不順利，處在屢戰屢敗的最艱難時期。六月，曾國華率領從湖北巡撫胡林翼那裏分得的一支二千人軍隊，從湖北進入江西。曾國華的人馬成軍不久，却連克數城，軍鋒凌厲，既爲自己博取了功名，又幫助了大哥。于國于私，都挣來了大面子，這給曾國荃是一個很大的激勵。

恰好這個時候，新任江西吉安知府黄冕找到曾國荃，請他幫忙。原來，此時吉安府尚在太平軍手中，黄冕這個吉安知府有官職却無城池，他想請曾國荃拉起一支隊伍幫他把吉安府給收回來。這真是天降好事，于是一拍即合。在湖南巡撫駱秉章的資助下，曾國荃募集一支三千人的軍隊，因爲衝著吉安去的，所以取名曰吉字營。這個名字取得真好，從此給他帶來無窮無盡的吉利。

要説曾國荃的軍事生涯，四年前便開始了。咸豐二年底，曾國藩奉旨辦團練。這年十二業的則祇有曾國荃。後來的事實證明，大哥當年的這番預測，一點不錯。常言說：知弟莫若兄。其實，很多為兄的不能知弟，像曾國藩這樣對三個弟弟都能如此精準的評估，并不多見。

在後來的歲月裏，曾國藩常常懷念九弟在京師求學的情景。他說：「一違離家今二載，辛苦學詩亦可憐。」「何日歸家對燈火，為君[illegible]。」[illegible]都有長住京師隨兄讀書的經歷，但未見有大哥的詩懷念。[illegible]可見九弟在大哥心中不同凡俗。應該說，一年零八個月的京寓日子，使得老九的詩文學問有了很大的長進，大哥的刻苦自勵也給他深刻的印象，往來大哥家的時代精英也共同開闊了他的胸襟見識。老九一生的學問志業，其基礎實奠定于此。這段歲月也是銘記于老九的心間。他寫詩給人說：「一載方十六，遊京國，[illegible]」他為《[illegible]》作序說：「國荃少時入京師，從兄問學。」他在為長兄寫的祭文中，更把這段對大哥的教誨之恩而激發的感激之情寫得淋漓盡致：「一憶我[illegible]，相從京國。兄[illegible]，不遑日晏。寒暑不時，[illegible]。兄既樂之，[illegible]年[illegible]。[illegible]南歸，助我以德。一別十秋，[illegible]究淡遠。恩同四海，相見之初，[illegible]。」

曾國荃果然也沒有辜負大哥對他的期望，回家後與兄國華一道進入長沙城南書院讀書，這遵大哥的指點，不[illegible]于科舉考試中，[illegible]先輩大家之文。二十四歲那年考中秀才，二十二歲時又考中優貢生，成為當時曾國藩四個在家的弟弟中功名最好的一個。

二、死杖硬塞的攤補精神

咸豐六年，是曾國荃一生中最大的轉折點。那年他三十二歲。春天，他來到長沙，擬赴北京參加廷試。貢生，即向朝廷貢獻生員之意。各省自府州縣學中選拔優秀者進京，這叫考試後進國子監讀書。貢生分歲貢、恩貢、拔貢、優貢、副貢五種，這五貢都算作正途，即具有做官的正式身份。正逢戰亂時期，道途阻隔，不能北上。于是曾國荃就捐了一個同知官銜。同知即知府的副手，為正五品銜。當然，這是個花錢買來的有銜無職的空頭官位。

這時，曾國藩正率領湘軍在江西打仗，仗打得極不順利，處在兵敗勢孤的最艱難時期。六月，曾國華率領從湖北巡撫胡林翼那裏分得的一支二千人軍隊，從湖北進入江西。曾國華的人馬成軍不久，即連克數城，軍聲大振。既為自己掙取了功名，又幫助了大哥于困[illegible]帶來了大面子。這對曾國荃是一個很大的激勵。

恰好這個時候，新任江西吉安知府黃冕找到曾國荃，請他幫忙。原來，此時吉安府尚在太平軍手中，黃冕這個吉安知府有官職卻無城池。他想請曾國荃拉起一支隊伍將吉安府給收回來。這真是天賜好事，是一個吉的兆頭。在湖南巡撫駱秉章的資助下，曾國荃募集一支三千人的軍隊，因為衝着吉安去的，所以取名曰吉字營。這個名字取得真好，從此給他帶來無窮無盡的吉利。

要說曾國荃的軍事生涯，四年前便開始了。咸豐二年底，曾國藩奉旨辦團練。這年十二月，曾國荃便隨同大哥來到長沙，參謀軍機，并爲之出謀劃策三十二條。直到咸豐四年正月，曾國藩率大軍出征，他纔回家，一邊繼續讀書，一邊教蒙童謀生。一年多的軍事幕僚經歷，使這個吉字營統領，從一開始便對行軍打仗之事不陌生。

他的運氣很好。咸豐六年十月進入江西，十一月便收復安福縣。正當兵圍吉安，屢敗援軍之際，他的父親突然在老家去世。曾氏三兄弟立即奔喪回籍。咸豐七年九月，在家守了七個月的父喪之後，曾國荃重返江西戰場。以後陸續收復峽江、吉水、太和、龍泉、萬安等縣城，咸豐八年八月攻克吉安。此時，曾國荃已因軍功而獲得以知府儘先選用，并加道員銜的賞賜。也就在這年十月，三河之役大敗，曾國華在那場戰役中被太平軍割去了頭顱。攻下吉安後，曾國荃回家住了半年。咸豐九年四月，他重返江西。奉大哥將令，這年六月，曾國荃接連收復景德鎮、浮梁。此時，曾國藩與胡林翼定下規復安徽的大計，曾國荃挑起其中最重的一副擔子，即圍攻安徽省會安慶。咸豐十年四月，曾國荃與弟國葆率領吉字營中的十八個分營進軍安慶。安慶守將劉倉林、葉芸來都是極其忠誠且驍勇善戰的太平軍將領。曾國荃面臨的是强勁的對手。曾國荃的戰略方針是先掃清太平軍建築于安慶城外的各方堡壘，然後挖長壕，斷絶城内與城外的聯繫，再放炮轟倒城墻衝進城去。

太平軍自然要死保安慶。他們一面堅決抗擊，一面采取圍魏救趙的辦法，動摇曾國荃的軍心。咸豐十年十一月，陳玉成、李秀成統率二十萬大軍分路出擊桐城、徽州、東流、建德、祁門、彭澤、湖口、都昌、浮梁、鄱陽，而祁門則是湘軍大本營所在之地。最危急的時候，祁門守軍衹有千名弱兵，曾國藩在城内都能聽見城外太平軍的炮聲，他將一把劍放在枕頭下，做好隨時自殺的準備。即便這樣，曾國荃包圍安慶的决心毫不動摇，苦戰苦圍，并設計招降太平軍驍將安徽人程學啓，分化瓦解安慶守軍。咸豐十一年八月初一，經過長達一年零四個月的血戰，終于以轟倒城墻的方式攻克安慶。朝廷賞曾國荃布政使銜，以按察使記名遇缺題奏。

曾國荃打仗，遵循的就是湘軍的一貫作風：扎硬寨、打死仗。他本人帶頭實行，身先士卒。曾國藩的機要秘書趙烈文曾對安慶圍師有過實地考察。他將吉字營的營地與緑營的江南大營作了比較，發現其中有五點不同。第一，統帥大營設立點不同，江南大營統帥的營地離壕溝十多里，吉字營則在壕溝邊，而且正當衝要。第二，壕溝的深度與壕墻的高度不同。無論深與高，吉字營皆爲江南大營的兩倍。第三，壕内營地防備不同。江南大營幾乎無防備，吉字營則還要挖小壕溝，小壕溝也又寬又深，裏面還插滿竹籤。第四，來了客人，江南大營好酒好肉立馬招待，吉字營無此準備，客人往往來不及等飯而走了。第五，江南大營官員及衛士皆衣著華麗，吉字營從曾國荃以下，穿著打扮，與種田人没有兩樣。

因圍攻安慶的狠勁蠻勁，曾國荃被人稱之爲曾鐵桶。鐵桶將軍從此威震海内。

同治元年正月，曾國荃被實授浙江按察使，僅僅衹隔了一個月又晋升爲江蘇布政使。此時距曾國荃組建吉字營不到六年，虛歲三十九歲。布政使爲從二品的地方大員，千千萬萬寒

時曾國荃[illegible]吉字營不過六千，總數二十八萬。[illegible]

同治元年五月，曾國荃[illegible]

因圍攻天京[illegible]。曾國荃[illegible]

吉字營[illegible]曾國荃以下[illegible]

[illegible]

曾國荃出身[illegible]

[illegible]

軍小，咸豐十年十一月，[illegible]

太平軍自[illegible]

[illegible]

曾國荃[illegible]

[illegible]咸豐十年四月，曾國荃[illegible]

[illegible]

[illegible]咸豐八年[illegible]

[illegible]

曾國荃[illegible]

月，曾國荃[illegible]

所有財物而後止，平時則販運私鹽、打家劫舍，凡可得到財物的事都敢于去做，除開貪婪的本性外，沒有固定的餉源，也給了他們一個公開的藉口。

朝廷并非一點不管這支編外之師，但因國庫實在拿不出銀子，衹得要各省接濟；各省自顧不暇，調撥銀子好比出血，確實不情願，再加上嫉妒、自私以及顧恤本省民情種種原因，往往在朝廷三令五申，甚至撕破臉皮的情況下，纔勉强拿出額定數目的三成或四成，離湘軍所需要的餉銀相差甚遠。多年來，爲湘軍提供銀錢軍需的可靠省份，衹有湖北湖南兩省。湖南貧瘠，且久爲壓榨，銀錢枯竭，故餉需供應并不多。湖南爲湘軍貢獻最大的，是源源不斷的血肉之軀——昨天放下鋤頭今天穿上軍裝的青年農民。真正爲湘軍提供較多軍餉的，還衹有湖北一省。

胡林翼重用從京師下放湖北的户部小官閻敬銘，協助他整頓湖北財務。閻敬銘這個人，號稱晚清第一理財能手。此人後來得到慈禧太后的特別賞識，官至户部尚書、協辦大學士、軍機大臣，執掌大清帝國的最高財權。他掌户部不到兩年，國庫便積蓄七百多萬兩銀子，從而撩起慈禧大修頤和園的欲望。這自然是後話。當時，閻敬銘竭盡全力輔佐胡林翼整頓吏治，嚴杜貪污中飽，查禁走私，廣開厘捐，使出渾身解數，終于在瘡痍滿目、民不聊生的狀況下，爲湖北藩庫積攢了一筆銀錢。這筆銀錢的大部分，用在苦戰安徽的湘軍身上去了。直到安慶打下，湘軍大大地撈了一把，經濟形勢頓時好轉，好像完成了自己的使命似的，胡氏也閉上眼睛歸天了，年僅五十歲。

胡林翼去世的時候，正是咸豐皇帝駕崩熱河行宫，慈禧與肅順等人爲争奪權力，勢不兩立，朝廷政局十分危急的時候，無論哪派得勢，江南的湘軍都是他們必須依賴的長城。胡林翼的突然病逝，在當時兩派政治力量中引起的震動是一致的。因而，胡氏的飾終備極隆重：追贈總督，入祀賢良祠，在湖北湖南兩省建專祠，生平事迹宣付國史館，嗣子被賞舉人，准其一體會試。慈禧殺了肅順掌權後，爲了籠絡湘軍集團，又賜祭一壇，予謚文忠。身後榮耀，盛極一時。

然則誰能想到，這樣一位功勛卓著、贊譽交口，被朝野倚爲南天柱石的名臣，年輕時竟是一個紈絝哥兒、浪蕩子弟。他的人生履歷表上，曾有一段極不光彩的記録。

胡林翼出身于官宦家庭，且爲獨子，自小便生活在優裕的環境中。這一點，同爲四大名臣的其他三人遠不能與他相比。他的衙内惡習也便因此而養成。飲酒豪賭，冶游狎邪，是胡氏青年時代最喜歡的活動。此習直到娶妻成家，做了陶澍的女婿後仍没多大改變。《凌霄一士隨筆》記載了一則軼事：

當初，陶澍欲將女兒許給胡林翼，夫人反對，陶不聽。新婚之夜，要人洞房了，遍尋陶府找不到新郎官。後來還是平時跟隨胡林翼的僕人，從一條小巷的酒樓上找到了他。那時，胡氏已爛醉如泥，衹得草草扶人洞房，勉强行禮。陶夫人氣極，大怨丈夫誤了女兒一生。陶澍却説：『此子是瑚璉之器，今後必成大事，年少縱情，不足深責。』

易宗夔《新世説》、黄濬《花隨人聖庵摭憶》裏都有這樣的記載：

窗辛苦、科場煎熬的讀書人，一輩子都不能實現的夢想，曾國荃衹用六年時間便奇迹般地圓了。曾老九用他的經歷清晰地回答了一個歷史大問題，那就是咸同年間爲什麽湖南會有那麽多書生走出書齋，那麽多農民放下鋤頭，義無反顧地奔嚮湘軍軍營？讓人才脱穎而出概率極低的制度設置，壓抑了絶大多數有抱負有才幹的知識分子；貧困艱難的生存環境，又使得絶大多數血氣方剛活力張揚的農夫沮喪失望。唯有湘軍軍營給他們提供火速出人頭地、發家致富的廣闊平臺！

曾國荃渾身潛力因此被激發出來。同治元年四月，他作出一個令天下所有人目瞪口呆的大決定：進軍南京！他統率不足二萬人馬的吉字營，要以他鐵桶般的蠻勁，將長達九十里被太平軍經營十年之久的都城死死地圍住。沒有人認爲老九會成功，包括一向器重他并十分渴望早日攻克南京的大哥曾國藩。曾國藩一再勸説他要慎重、要緩圖。他是這樣答復大哥的：凡是來投奔我的人都以打南京爲自己的最大目標。現在若不乘勝兵臨南京城下，則士氣將會日漸削弱。我屯兵南京，則可以將敵之兵力都吸引來，江南之圍可立解，敵之氣焰可立殺，我則可乘此機會犁庭掃穴。平定天下，在此一舉。

曾老九以直沖斗牛之氣概，向世人宣告他要奪取戰勝太平天國的第一功！

但是，南京决不是輕易能打下的！最主要的是，曾老九的人馬太少，儘管後來不斷增加人員，吉字營最多時的人數也不過五萬。對于南京這座有著全世界第一堅固城墻的六朝古都

來説，以五萬人來包圍，簡直不值一提。許多人都認爲老九這是异想天開，不自量力，癩蛤蟆想吃天鵝肉。老九不管這些譏笑，將兵力集中駐扎在雨花臺附近，開始他的鐵桶事業。

太平軍在南京城裏的兵力并不是很多，曾國荃要對付的多半是來自江浙一帶的太平軍的救援部隊。最殘酷的打援是在同治元年閏八月至九月間。先是忠王李秀成率兵三十萬號稱六十萬，東起方山西至板橋，連營數百座，虎視眈眈，試圖一口吞掉吉字營。曾國藩在安慶得知後，寢食不安，立馬傳令，命老九撤兵。老九堅持不撤，布置三路兵力從容應對。仗打得非常激烈，老九身先士卒，在前綫親自指揮。炮子打傷他的左臉，血流不止，他依舊屹立前沿不退。歷時半月，李秀成終于停止進攻。九月初，侍王李世賢從浙江來增援李秀成，兩支軍隊合起來號稱八十萬，再次將吉字營包圍，最近處離湘軍營房不過六十多米。太平軍與湘軍天天激戰，火球映紅天空，槍炮聲晝夜不息。就這樣，打了無數場大大小小仗，最後逼得太平軍撤軍。這場戰争，一共打了四十六天，太平軍損失五萬多人，吉字營也死了五千多。湘軍自組建以來，從來沒有過這樣歷時又久、規模又大的戰役，郭嵩燾甚至稱之爲『極古今之惡戰』。經過這場惡戰後，吉字營在南京城外扎穩了營盤。

這時，曾老九又遇到另一場大災難：因死人太多，天氣太熱，瘟疫爆發。這場瘟疫究竟有多麽可怕，曾國藩在《金陵湘軍陸師昭忠祠記》中有形象的描述：『我軍薄雨花臺，未幾疾疫大行，兄病而弟染，朝笑而夕殭，十幕而五不常爨；一夫暴斃，數人送葬，比其反而半

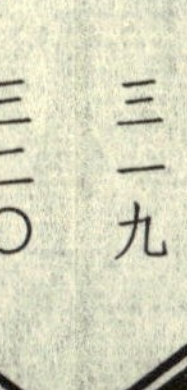

殕于途。近縣之藥既罄，乃巨艦連檣，徵藥于皖鄂諸省。當是時也，群醫旁午。』老九的胞弟、吉字營的副統領曾國葆也没有逃脱此劫，病死營中，時年三十五歲。

老九圍南京，除打仗、天灾外，還要承受另外一種壓力，即輿論與朝廷的指責。

老九以吉字一營圍南京，本就令人驚駭，加之久圍不下，于是流言四起。大多是指責老九貪功，也有不少因此而指責曾國藩有私心，要把這個天下第一功歸之于曾氏家族。他們建議李鴻章率淮軍用西洋大炮前來助戰，不能由曾老九一人久拖下去，耗費國家糧餉，影響全局。曾國藩抗不住群言汹汹，勸老九不要獨占第一功，讓李鴻章來，今後史書上雖説曾、李同破南京，也同樣美名傳千秋。李鴻章早就眼巴巴地盼著這一天，聞此訊後摩拳擦掌，準備即刻趕到南京城下，大幹一場。不料老九堅決不同意。對此，時在老九身邊的趙烈文在《能静居日記》中有生動的記録：老九拿著大哥的信，對他的部下説，有人要來搶我們的功了，你們説怎麽辦？衆將群情激憤，决不答應。有人説，他李老二敢來，我們就在雨花臺旁擺開陣勢，先與李老二一决高下。李鴻章得知這個消息嚇壞了，忙給朝廷上奏，説大熱天不能用火炮，他不去南京了。曾國藩本來已作好了準備，若李鴻章去南京，他就去南京，打下了，他們曾家占功勞三分之二。現在李不去了，他也就不去了，他不能去搶老九的功。

就這樣，靠一己之力，用他當年打安慶的老辦法：掘長壕，挖地道，埋炸藥，轟城墻，同治三年六月十六日半夜，炸開了太平門旁長達一百五十丈的缺口，吉字營將士衝進南京城。曾國荃興奮异常，在内城天王府都還没有拿下的時候，迫不及待地倚馬草奏，以日行八百里的超常速度向朝廷報捷，同時以日行四百里的快遞向安慶城内的大哥報喜。

但立下首功，榮膺重賞的老九，在日後的日子裏，心情却很不好，因情緒不佳又引起舊病復發，整個人不僅抑鬱不樂，而且牢騷滿腹，脾氣煩躁。這是爲什麽？原來，大勝之後的老九，竟然身處他意想不到的困境中。

首先是有人藉幼天王洪天貴福出逃一事，指責他捷報中所説的『舉火自焚』一事不準，有欺君之罪。再一個是朝廷以嚴厲的語氣指責吉字營打劫南京城内的金銀財寶，責令曾國荃收回這批財富上繳國庫，并警戒他：倘若『驟勝而驕』，將不可能『長承恩眷』。這是明擺著的兩點，還有一點是實實在在而老九又不好挑明的，朝廷封賞不公。東南戰場上，加上後來的左宗棠，一共封了四個一等伯。李鴻章的主要功勞是拿下江蘇省垣蘇州，左宗棠的主要功勞是拿下浙江省垣杭州，老九不但拿下安徽省垣安慶，更重要的是他拿下太平天國的都城南京，明顯老九的功勞大于李、左；至于官文，則完全是仗著胡林翼的功勞，但本人并無特别的功績。這樣看起來，朝廷的確是有意在矮化老九。公平的封賞，應該是老九封二等侯，低于乃兄而高于李、官、左。

朝廷收繳金銀財寶一事，激起吉字營從上到下的一片公憤，一股對朝廷强烈不滿的怨氣，充塞南京城内。據多種野史記載，吉字營的高級將領曾聯合一道勸曾國藩效法趙匡胤黄袍加

身的舊事，起兵反清，自立新朝。曾國藩特地吩咐他們請九帥，并當著老九的面書寫『倚天照海花無數，流水高山心自知』的聯語。由此我們可以知道，造成吉字營這股怨恨情緒的總後臺是曾國荃。

種種迹象表明，大勝之後的南京城裏形勢异常，唯有曾國荃解甲歸田離開軍營，曾國藩的裁撤湘軍的戰略部署纔能順利進行。于是，大哥代九弟上開缺回籍養病的奏摺。朝廷順水推舟，開缺曾國荃的浙江巡撫之職，回家養傷養病。

同治三年十月初一日，離打下南京僅三個半月，曾國荃便黯然離去。大哥親自送到安徽當塗采石磯，然後令兒子曾紀澤代他護送叔父回湘鄉。

三、不識官場深淺的湖北巡撫

同治五年二月，曾國荃接到朝廷命他做湖北巡撫的上諭。朝廷的意思，是要曾國荃再赴前綫，既與捻軍打仗，也藉此幫助剿捻統帥曾國藩。曾國荃召集舊日部屬，在長沙招募六千人，號稱新湘軍，浩浩蕩蕩地開赴武昌。曾國荃一到武昌，立即大刀闊斧地裁汰湖北軍營，又撤銷鄂省總糧臺，成立軍營總局。這些，都直接傷及在湖北經營十一年之久的湖廣總督滿人官文的權限與利益。真正做地方長官不及半年的曾國荃，居然與官文大幹起來，鬧得水火不容。終于，曾國荃一紙參摺直達朝廷。曾國荃以極爲尖利的文字列舉官文濫支軍餉、冒保私人、公行賄賂、添受陋規、彌縫要路、習尚驕矜、嫉忌讒言等情事，句句强硬，條條見血。尤其厲害的是，還將官文列入慈禧最恨的肅黨之內，直欲把官文置于死地。曾老九在這裏，完全將鐵桶圍安慶、江寧的一貫作風用到官場上，把官文視爲洪秀全。

對于老九的這種行爲，曾國藩極不贊成。看到老九送來的初稿，他就明白地告訴弟弟不能這樣做，但老九完全不聽大哥的話，我行我素，一意孤行，甚至說出『豈能仰鼻息于傀儡膻腥之輩』這樣犯大忌的話來，并聲稱願意獨自承擔一切後果。

清代設置八個總督，除直隸、四川衹有總督而無巡撫外，其他六個地區總督、巡撫同居一個城市，由于職權的交錯，很容易造成牽扯不清的麻煩，故而有清一代，同城督撫不合的現象普遍存在，但鬧到如此勢不兩立兵刃相見的地步，則極爲罕見。曾國荃爲什麽要采取這樣極端的態度來對待官文呢？此中有複雜的原因。

官文無能、貪劣、拉幫結派，早就爲靠真本事打拼而又性格耿直的湘系集團的頭領們所鄙視。胡林翼當年做湖北巡撫，就很瞧不起官文。後來有高人指點胡，說官文雖無能，但身份特殊，跟他結怨，于大局不利，不如籠絡他，跟他處好關係，利用他的特殊身份來辦自己的事。胡林翼恍然大悟，主動巴結他，不惜以巡撫之尊出席官文三姨太的生日宴，又把三姨太請進府來隆重接待，讓老母親認三姨太爲乾女兒。就這樣，把官文拴住，做他手中的一顆橡皮圖章。胡林翼在湖北，從此事事無障礙，與官文水乳交融。

曾國荃爲什麽不能步胡的後塵呢？除開他的禀賦、性格與胡不同外，一是自認爲才大功高，

不可一世，普天之下，除了他的大哥，没有人在他的眼中。二是他與官文有宿怨。宿怨之一是咸豐八年十月發生的三河之役，李續賓向官文求救，官文置之不理，致使這支部隊六千餘人全軍覆没，李續賓與曾國華丢掉性命。宿怨之二，同治元年十二月，曾國葆的喪舟路過武昌。武昌城裏的大小官員都登船吊唁，唯獨官文不去。宿怨之三，官文并無收復省城之功，却居然與他同封一等伯。公恨私怨交織在一起，使得曾國荃决心冒天下之大不韙，要把官文趕下臺。

朝廷對這個南蠻子的舉動左右爲難。不處理官，則得罪老九，新湘軍誰來統領，誰來幫曾國藩打捻軍？而官文實在是朝廷心腹，是多年來朝廷用來監視東南戰場的忠實耳目，實在是不能處理。朝廷祇得派出兩個大員到武昌來裝模作樣地調查一番。爲不影響老九的情緒，免去官文的湖廣總督一職，調回北京專做文華殿大學士，不久再安排官文做直隸總督，其重要性更在湖廣總督之上。

接下來，曾國荃迎來的是他一生最不順利的時期。新湘軍與捻軍打仗，屢戰屢敗，幾無打過勝仗。新湘軍的兩大將領之一的彭毓橘被活捉肢解，另一個郭松林則被打斷腿。新湘軍士氣低沉，毫無鬥志。面對著飄忽無定的捻軍，鐵桶將軍一籌莫展，祇得請求開缺回籍。前前後後，曾國荃祇做了一年零八個月的湖北巡撫，在東南戰場上所積纍的赫赫威名，幾乎喪失殆盡。

曾國荃之所以這麼快便垂頭喪氣地離開湖北，仗打敗了，自然是首要原因，官文一事讓

朝廷不滿，且與湖北官場廣泛結怨，也是其中不能忽視的因素。没有官場經驗、不識宦海深淺的犟老九，終于吞食了自己親手所釀的苦果。

四、讀書做公益的頭號鄉紳

從同治六年十一月開始，到光緒元年二月，七年多的時間裏，曾國荃一直住在湘鄉老家。加上上一次在家養病，他一共在家裏住過八年多。因同治三年後的大裁撤，湖南出現了一大批非同尋常的鄉紳。這些人對于近代湖南的進程有過不可小視的影響。論威望與潛在的勢力，没有人能超過曾國荃。老九應是近代湖南的頭號鄉紳。這個頭號鄉紳家居的日子，做了些什麼呢？除開養病外，他做的事情主要是兩件：一爲讀書，二爲公益。

還在同治三年秋天離開南京時，曾國藩就送給老九一副聯語：千秋邈矣獨留我；百戰歸來再讀書。勉勵他多讀書，藉書籍來充實、提高自己的精神境界。曾國藩還專爲他選了十七篇古代名奏，親自加以圈點解讀評論。我們從老九那些年給人的信件中可以看出，讀書、看帖、寫字是他家居生活中的主要内容。此外，老九更多參與的是公益事業。

老九是個熱心于公益事業的人。早在南京打下不久，他就提議印王船山的書，并捐銀二萬兩。金陵書局因此建立。同治七年，主持重修《湖南通志》。同治九年，主持修建省城湘鄉試館，捐銀一萬四千餘兩，并捐出省城一座私宅爲試館歲脩。同治十年，請省城鹽、厘兩局每年撥銀救濟省城窮苦人，每年可救活窮人一千多。又增設義塾、立勵節堂。同治十一年，捐義穀

兩千石。同治十三年，捐銀二萬兩重建南岳上封寺。總計共捐銀五萬四千多兩，捐穀兩千石，捐私宅一座，建各種公益文化場館四座，是湘軍中最具俠義之心的高級將領，堪稱鄉紳榜樣。

五、賑灾救難的山西撫臺

光緒元年二月十五日，鄉居多年的曾國荃被任命爲陝西巡撫，五天後又改授河東道總督。光緒二年八月，改授山西巡撫。此時曾國荃正在病中。

山西正面臨大旱。飢餓威脅三晋，死人無數。情形危急，曾國荃帶病于光緒三年二月由長沙起程，四月抵達太原，擔負起賑灾救難的艱苦大任。截至光緒七年二月晋升陝甘總督時，曾國荃一直以病軀工作在山西救灾第一綫。曾國荃使出渾身解數，運用他的聲望影響，甚至不惜向朝廷、外省使出强索强要的霸蠻手段，共爲山西籌來救灾銀子一千二百多萬兩，糧食一百三十萬石，救濟灾民三百四十萬人。他還調湘軍五千人進入山西，協助政府安撫飢民，維持秩序，終于讓山西全省度過了這場長達四五年的罕見大旱灾。

朱克敬的《暝庵雜識》有一則文字，形象地記録了救灾時期的曾老九是如何做巡撫的。

正是連日酷熱的苦旱時期，曾國荃决定親自去太原玉皇閣求雨。曾國荃命令山西省城知縣以上的官員、廪生以上的紳士全部陪同，一個不能缺席。來到玉皇閣，衆人見四周已被數百名全副武裝的湘軍把守，環繞玉皇閣外全部堆滿乾柴茅草。大家都覺得很奇怪，又不便問，衹得跟著撫臺大人進了閣内。曾國荃神情肅穆地跪在玉皇大帝的泥塑像前，恭恭敬敬地念完

幕僚代寫的求雨表文，然後起身又親手把表文焚燒，一切都與歷來求雨程式無异。大家都以爲儀式就要結束了，突然，曾國荃的臉色陰沉下來，對著玉皇大帝大聲説道：『山西苦旱這麽久，是我等官紳未盡到職責，惹怒天心，我們願受懲罰。若三日内還不降雨，這説明上天不寬恕我等，我等全部該死，點火自焚，以身謝罪，請上天不要再降灾難給山西百姓。』

陪同的官紳聽到這話，一個個嚇得面無人色，心裏恐懼萬分，偷眼看撫臺大人，衹見他兩眼噴火，臉色鐵青，一副當年軍中無戲言的神態。大家都知道這位殺人如麻的鐵桶將軍的厲害，又見四周的湘軍刀槍晃晃，怒目横睁，請假、溜走等夢都不要做了，衹能在這裏等死。曾國荃和他們一道，坐在玉皇閣不吃不喝，乾等著。第一天没下雨，第二天似乎更燥熱了。到了第三天，還是不見一絲雲彩。衆人徹底崩潰，許多人已經癱倒在地上。衹見曾國荃面不變色，始終坐著不動。到了傍晚時，有軍官前來請示，是否點火。曾國荃凝視衆人一眼，堅定地説：『點！』就在這時，忽然狂風大作，隨即電閃雷鳴，大雨如注。閣内的官紳猶同再生，紛紛跪在曾國荃面前，高呼九帥神明。

當然，這則記載或許有點誇張，但我們通過這段文字，可以看出曾國荃當年正是以治軍的方式在治理大灾之年的山西的。非常時期，的確得用非常手段。

六、勉力供職的兩江總督

曾國荃接到陝甘總督的任命後，就因病請假于光緒七年四月回到湖南。光緒八年奉命出

任兩廣總督。光緒十年正月，改任兩江總督。從陜甘總督開始，六十歲的曾國荃進入生命的晚年時期。

晚年的曾國荃做過三個地區的總督，受到朝廷的特別信任，表面看來似乎風光無限。其實，他的心情是落寞的，事業上也無大成就可言。

早年艱辛的戰爭歲月嚴重地傷害著曾國荃，他多病多痛。五十七歲那年，三十一歲的長子去世。第二年次子病故，他的膝下已再無兒子了。六十二歲那年，唯一健在的四哥曾國潢去世。這一連串的打擊極大地傷害他的身心，也使得他不可能以飽滿的精力辦理公事。兩江物産富庶，地位重要，本可大有作爲。時代要求曾國荃在兩江繼承乃兄所開創由李鴻章光大的洋務事業，但遺憾的是，此事在曾國荃手裏没有進展。光緒十六年，對湘系集團來説是一個黑色的年代。這年閏二月，曾國藩的長子、總署侍郎曾紀澤以五十一歲的英年病逝。接下來彭玉麟、楊岳斌又相繼辭世。這年十月初二日，曾國荃病逝于兩江總督衙門，享年六十七歲，謚號忠襄。十八年前，他的大哥以同樣的身份謝世于同一座衙門。

七、時勢造就的近代湖湘豪杰的典型代表

我們可以肯定地説，没有太平天國起事，就没有湘軍運動，也就没有近代湖湘一大批人物的横空出世。大風起兮雲飛揚，近代湖南豪杰，完全是時勢造就的。曾國荃是其中的典型代表。

我們來看看曾國荃身上有哪些特點。

一是受過良好的教育。

二是青少年時期有過離開家鄉外出游學的經歷。

三是不把科舉功名作爲唯一追求，没有把大量心血用在八股文、試帖詩上。

四是從青年時代起就懷抱經世濟民之志，關心國事，關心社會。

五是有敏鋭的目光，善于抓住機遇。

六是相信『功可强成、名可强立』的理念，以倔强霸蠻、堅持不懈的意志毅力去實現目標。

七是不戀棧、不貪權，進則勇猛，退也開心。

八是守定大義，不拘小節，豪放血性，敢作敢爲，優點突出，缺點明顯。

曾國荃身上的這些特點，在咸同年間乘時而起的那一大批湖湘豪杰的身上幾乎都具備，如左宗棠、胡林翼、彭玉麟、江忠源、郭嵩燾、劉蓉、劉長佑、劉坤一、羅澤南、王鑫、李續賓、李續宜等人，都有著曾國荃的影子。這些特點組合成咸同年間湖湘士人的群體品格，極大地影響近代湖湘文化。這是一筆寶貴的文化遺産，很值得我們研究，其中的積極因素更需要我們去傳承弘揚。

任兩廣總督。光緒十年五月，改任兩江總督，從陝甘總督開始，六十歲的曾國荃進入生命的晚年時期。

說，任的曾國荃做過三個地區的總督，受到朝廷的特別信任，表面看來似乎風光無限。其實，他的心情是落寞的，事業上也無大的成就可言。

早年[illegible]曾國荃，他多次病痛。五十七歲那年，三十一歲的長子去世。第二年，次子十六歲病故。[illegible]六十一歲那年，唯一健在的四哥曾國潢去世。這一連串的打擊，大大地傷害了他的身心。他很清楚他不可能以飽滿的精力辦理公事，而在政治上有所建樹，[illegible]重要，本可大有作為。時代要求曾國荃在兩江總督任上[illegible]洋務事業，但遺憾的是，此事在曾國荃手裡沒有進展。光緒十六年，對湘系集團來說是一個黑色的年份。這年閏二月，曾國藩的長子、著名外交家曾紀澤以五十一歲的英年病逝，[illegible]又相繼辭世。這年十月初二日，曾國荃病逝於兩江總督衙門，享年六十七歲，諡號忠襄。十八年前，他的大哥以同樣的身份謝世於同一衙門。

七、時勢造就的近代湖湘豪杰代表

我們可以肯定地說，沒有太平天國起事，沒有湘軍的軍事活動，也就沒有近代湖湘一大批人物的特定時代。大風起兮雲飛揚，近代湖南豪杰，完全是時勢造就的，曾國荃是其中的典型代表。

我們來看看曾國荃身上有哪些特點：

一是受過良好的教育。

二是青少年時期有過離開家鄉外出游學的經歷。

三是不把科舉功名作為唯一追求，沒有把大量心血用在八股文、試帖詩上。

四是從青年時代起就有經世濟民之志，關心國事，關心社會。

五是有廣闊的目光，着眼於天下。

六是相信「人力可以回天」的理念，以[illegible]堅韌不拔的意志毅力去實現自己的理想。

七是不戀棧，不貪權，進則勇猛，退也甘心。

八是守定大義，不拘小節，豪放血性，敢作敢為，優點突出，缺點明顯。

曾國荃身上的這些特點，在咸同年間乘時而起的那一大批湖湘豪杰的身上幾乎都具備，如左宗棠、胡林翼、彭玉麟、江忠源、郭嵩燾、劉蓉、劉長佑、劉坤一、羅澤南、王鑫、李續賓、李續宜等人，都有着曾國荃的影子。這些特點組合成咸同年間湖湘士人的群體品格，[illegible]一筆寶貴的文化遺產。很值得我們研究，其中的精神因素更需要我們大家來共同認識。

亂局清醒客

二十多年前，我在創作長篇歷史小説《曾國藩》時，從《太平天國史料叢編簡輯》中讀到一部名曰《能静居日記》的選録本。一開始我也衹把它當作一般性的史料來讀，不料越讀越對它興味盎然。這部日記文字典雅而流暢，對所聞所見記載翔實且細緻，時有氛圍描繪和口語照録，能讓讀者有一種走進那個苦雨凄風年代的感覺，作爲一個志欲狀摹那個時代的作家，我深感此書的不可多得。

《能静居日記》的作者趙烈文是一個幸運人。他的姐夫周騰虎早年進入曾國藩的幕府，頗受曾氏器重。那時正是曾氏事業低谷的江西年代，他很需要各方面的人才。當聽到周薦舉自己秀才出身的小舅子時，曾氏立時拿出二百兩銀子來請趙入幕。趙烈文因此與曾氏兄弟結緣，有幸進入那個時代的最前沿，參與東南戰局中的一些核心機密，見證湘軍與太平軍最後搏鬥的慘烈，由此奠定《能静居日記》在近代浩如烟海的史料中的特殊地位。

趙烈文出身于江蘇陽湖（今武進區）一個世代官宦的家庭，自幼受過良好的教育。趙不僅熟讀經史，還喜歡研究佛學。或許正是基于這種知識結構，使得他在那樣一個動亂瘋狂最容易讓人心性迷失的年代，能身在局中又有局外人的清醒認識，成爲曾氏身邊少有的另類幕客。他因此受到曾氏的格外賞識。在從捻戰回到江南再任江督的那些較爲寬鬆的日子裏，曾氏幾乎天天，甚至一天多次與趙長談。談話的内容既有學問又有世俗，既有人物臧否更有時局評論，趙將這些談話要點記録下來。這些記録，讓我更多地看到處在私人空間裏的曾氏的關注點與情感表露，同時也讓我生動地感受到一個亂局清醒客的睿智與深刻。無疑，趙烈文與曾氏這些私下談話，是這部《能静居日記》最爲引人注目的亮點，也是這部書的最大價值之所在。

隨手拈出幾例來説説吧。

同治三年四月份，正是南京前綫戰事白熱化的時候，江西巡撫沈葆楨不聽曾氏命令，拒絶將江西牙厘調撥南京，朝廷居然明顯袒護沈。曾爲之非常生氣，對朝廷的這種做法深感委屈。曾氏是一個嚴于責己的人，面對著朝廷的不公平，他首先檢討可能是自己位高權重，導致旁人猜疑的緣故。他向朝廷奏請于江督、欽差兩職中辭去一個，以示自己不戀位愛權。對于朝廷的作爲，趙烈文有自己的看法。他在這年的四月初八日寫了一篇長長的日記。他回顧曾氏自組建湘軍以來的『坎坷備嘗，疑謗叢集』，八九年間一直客寄虚懸，甚至咸豐十年的江督之命，也是『朝廷四顧無人，不得已而用之』。趙分析其中的主要原因不是别的，而是『不得内主奥援』，就是説曾氏朝廷無人。趙認爲人之性情是『愛己而憎人，喜親而惡疏』，朝廷中没有得力的自己人、親信人，則外臣難以成大功。他以明代兩個帶兵打仗的外臣爲例，一爲王守仁，因爲與兵部尚書關係密切，在江西平亂事業順利；一個是熊廷弼，事事與中樞不協，結果事敗命亡。趙認爲處曾氏之位置，責己也罷，求退也罷，都不過是『匹夫介士之

亂局清醒者

二十多年前，我在創作長篇歷史小說《曾國藩》時，從《太平天國史料叢編簡輯》中讀到一部名曰《能靜居日記》的選錄本。一開始我也祇把它當作一般性的史料來讀，不料越讀越對它興味盎然。這部日記文字典雅而流暢，對所見所聞的記載翔實且細緻，時有高屋建瓴的評點，能讓讀者有一種走進那個苦雨凄風年代的感覺。作爲一個志欲再現那個時代的作家，我深感此書的不可多得。

《能靜居日記》的作者趙烈文是一個幸運人。他的姐夫周騰虎早年進入曾國藩的幕府，頗受曾氏器重。那時正是曾氏事業低谷的江西年代，他很需要各方面的人才。當聽到周騰虎自己秀才出身的小舅子時，曾氏立時拿出二百兩銀子來請這人入幕。趙烈文因此與曾氏兄弟結緣，有幸進入那個時代的最前沿，參與東南戰局中的一些核心機密，見識湘軍與太平軍最後搏鬥的慘烈。由此奠定《能靜居日記》在近代浩如煙海的史料中的特殊地位。

趙烈文出身於江蘇陽湖（今武進區）一個世代官宦的家庭，自小受過良好的教育。但他不屑熟讀經史，還喜歡研究佛學。或許正是基于這種知識結構，使得他在那樣一個動亂瘋狂最容易讓人心性迷失的年代，能身在局中又有局外人的清醒認識，成爲曾氏身邊少有的[illegible]客。他因此受到曾氏的格外賞識。在從[illegible]回到江南的那些較爲緊張的日子裏，曾氏幾乎天天，甚至一天多次與他談話。談話的內容既有學問又有世俗，既有人物臧否更有時局評論。趙烈文將這些談話要點記錄下來。這些記錄，讓我們更多地看到處在私人空間裏的曾氏的觀點與情感表露，同時也讓我們生動地感受到一個亂局清醒者的睿智與深刻。無疑，趙烈文與曾氏這些私下談話，是這部《能靜居日記》最吸引人注目的亮點，也是這部書的最大價值之所在。

隨手拈出幾例來說說吧。

同治三年四月份，正是南京前線戰事白熱化的時候，江西巡撫沈葆楨不聽曾氏命令，把[illegible]江西本省厘稅撥南京，朝廷居然明顯偏護沈。曾爲之非常生氣，對朝廷的這種做法深感委屈。曾氏是一個勇于責己的人，面對朝廷的不公平，他首先檢討可能是自己言語過當，導致旁人猜疑的緣故。他向朝廷奏請于江督、欽差兩職中辭去一個，以示自己不戀位怙權。對于朝廷的作爲，趙烈文有自己的看法。他在這年的四月二十日記了一篇長長的日記，他回顧曾氏自組建湘軍以來的一大[illegible]人，九年間一直受各方猜忌，甚至十年的[illegible]己之命，也是一個道理。因朝無人，不得已而用之。」趙分析其中的主要原因不是別的，而是「不得內主與援」，就是說曾氏在朝廷無人。趙說：「[illegible]朝廷中有得力的自己人，則外臣難以成大功。」他以明代兩個帶兵打仗的外臣爲例，一爲王守仁，因爲與兵部尚書關係密切，在江西平亂事業順利；一個是熊廷弼，事事與中樞不諧，結果束取命亡。趙認爲曾氏之位置，貴己也難，求退也難，非不過是一匹夫介之操，非體國大臣之當守』。趙烈文冷眼相嚮的清醒，不得不令後世讀者佩服。曾氏以清正之身辦兵戎之事，作爲中國傳統文化的集大成者，他贏得後人的敬仰，而作爲政壇博弈手，他也常爲人們所驚訝不解。公允地説，像曾氏這種人要在一場糊塗的污泥濁水中成就大業，確乎是難之又難，所以曾氏晚年常常説：『不信書，信運氣，公之言，傳萬世。』曾氏的成功，的確有很大的運氣成分在内。

曾氏終于僥幸成爲勝利者。十多年的艱難歷程，曾氏究竟是怎麽走過來的，他的主要對手究竟是誰，他的勝利又將意味著什麽？這些課題，儘管已成爲百年來史學界的熱門話題，但在當時一片頌揚聲中，一片『同治中興』的歡呼聲中，極少有人關注，更幾乎無人作深入探討。趙烈文開闢這一領域的先河，他曾經當面與曾氏暢談此事。同治六年六月二十三日傍晚，曾氏與趙有過一次長談。他們從北宋韓琦、范仲淹談到眼前。曾氏説自己靠自强不息之道『粗能有成』。趙烈文笑著對曾氏説：『師歷年辛苦，與賊戰者不過十之三四，與世俗文法戰者不啻十之五六。』曾氏的勝利當然靠的是與太平軍作戰而得來的，怎麽這倒成了十之三四，而與世俗文法戰却成了十之五六。這在當時，顯然是奇談怪論。

什麽是世俗文法？所謂世俗，就是指那個時代的腐敗官場、爛掉的八旗緑營、頽唐的士林以及失去規範的社會。所謂文法，就是指種種不符合時代的要求陳腐不堪的規章制度、律令法規等等。時至今日，我們不能不承認世人看到的衹是表層，趙烈文看到的纔是咸同年間動亂的本質。更令曾氏本人没有想到，也是他不願意去想的，是趙的下面這番話：『今師一勝而天下靡然從之，恐非數百年不能改此局面。一統既久，剖分之象蓋已濫觴，雖人事，亦天意而已！』曾氏的勝利造成了什麽局面？這就是後來王闓運在《湘軍志》中所説的：『其後湘軍日强，巡撫亦日發舒，體日益尊』的局面，也就是曾氏所極不願見到的『外重内輕』的局面，但這是事物發展的必然規律，非人力所能制止。

正是基于這種透闢的認識，趙烈文成爲那個時代極爲準確地預見清王朝崩潰的第一人。趙對此分析的那段話極爲難得，還是照録最好：

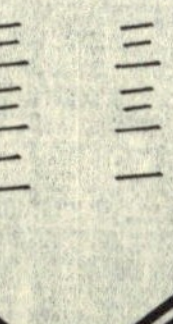

> 初鼓後滌師來暢談，得京中來人所説，云都門氣象甚惡，明火執仗之案時出，而市肆乞丐成群，甚至婦女亦裸身無褲，民窮財盡，恐有變异，奈何？余云天下治安，一統久矣，勢必馴至分剖，然主威素重，風氣未開，若非軸心一爛，則土崩瓦解之局不成。以烈度之，异日之禍，必先根本顛仆，而後方州無主，人自爲政，殆不出五十年矣。師蹙額良久，曰然則當南遷乎？余云恐遂陸沉，未必能效晉、宋也。

這段話是曾氏與趙烈文在同治六年六月二十日晚上的對話。四十四年後辛亥革命爆發，果然清王朝立時土崩瓦解，并無南渡苟延的機會，接下來的是長達十多年的『方州無主，人自爲政』。對于清朝廷崩潰的形式和日期，以及中央政權垮臺後的全國形勢，其預算之準確與精密，令人驚詫莫名。具有如此眼光的人，古往今來的歷史上并不多見。

據，非謹國大臣之所當守。」[illegible]

身兼兵政之事，作為中國傳統文化的集大成者，[illegible]

但當時人們所讚許不已的，公允地說，[illegible]

言是「[illegible]之又[illegible]」，所以曾氏晚年常常說「不信書，信運氣」。公之言，「曾氏的成功的「運氣」很大的成分在內。

曾氏[illegible]十多年的艱難[illegible]，曾氏[illegible]的主要[illegible]手，究竟是誰？[illegible]

但在當時，[illegible]「同治中興」的歡呼聲中，[illegible]少有人能看得深入，[illegible]探討，趙烈文[illegible]這一預言的先河，他曾經當面向曾氏預言此事，是同治六年六月二十三日晚。曾氏與趙有過一次長談，[illegible]

[illegible]不會十之五六。」曾氏的話相當[illegible]，[illegible]十之三四，而與世俗文士[illegible]

[illegible]的本質，更令曾氏本人沒有想到，也是他不願意去想的，是趙的下面這番話：「[illegible]一勝而天下靡然從之，恐非數百年不能復此局面。一統既久，剖分之象蓋已濫觴，雖人事，亦天意而已。」曾氏的話相當明確：[illegible]這就是後來王闓運在《湘軍志》中所說的「其後湘軍日強，督撫亦日益[illegible]」，也就是曾氏所說的「外重內輕」的局面，但這是事物發展的必然規律，非人力所能制止。

正是基于這種認識，趙烈文[illegible]清王朝[illegible]第一人。

趙對此分析的眼光[illegible]

[illegible]

這段話是曾氏與趙烈文在同治六年六月二十日晚上的談話，四十四年後辛亥革命爆發，果然清王朝立時土崩瓦解，并無南渡苟延的機會，接下來的是長達十多年的「方州無主，人自為政」。對于清朝[illegible]的形式和日期，以及中央政權[illegible]後的全國形勢，其預見之準確與精密，令人驚詫莫名。具有如此眼光的人，古往今來的歷史上並不多見。

這就是曾經真實存在過的趙烈文，他的這些亂局之中的清醒認識就白紙黑字地寫在他的日記裏。這樣的人物，我能不寫進我的小説嗎？如此日記，我能不細加研讀嗎？我決定尋找《能靜居日記》的全本。

全本找到了，是臺灣學生書局一九六四年的影印本，一共有六大册。但當我打開時，却立馬遇到極大的困難。趙的日記是用行草體所書，儘管書法流利嫻熟，却有許多字令我辨識困難。我想，如果有人來先掃除這個障礙，然後將它排印出來，豈不會給這部日記的讀者帶來極大的方便嗎？但這事不容易做成。首先是準確辨識草書的人不易找到，其次是出版此書的成本太高，出版社作爲文化公司不能不考慮經濟核算。後來我在臺灣，遇到一位學者，他竟然主動跟我談起《能靜居日記》。他説幾年前，著名歷史小説家高陽先生就有整理出版此書的意圖。高陽先生想自己來做整理者，他親筆謄抄了一部分日記。可惜，高陽先生不久病逝，此事中途擱淺。這位學者希望大陸出版界來做這件事，并熱情地送我一疊高陽先生親筆謄抄的影印稿件。拿著這疊稿件，我愈加感覺此事的緊迫。

終于，一向對中國傳統文化的整理出版負有高度使命感的岳麓書社决定來做這件事，在全國古籍整理出版規劃領導小組的大力支持下，青年編輯劉文君挑起這副重擔，經過三度寒暑的努力，這部重新編排的《能靜居日記》全本就要問世了。我相信，衹要是對中國歷史文化有興趣的讀者，都可以從中獲得多方面的收益：或是更多地瞭解那個動亂的時代，或是可以窺探某些高層政治運作的細末，或是從作者的睿智中得到某些啓迪等等。一想到這裏，我便爲之欣慰异常，遂不揣淺陋，寫下這篇文字，就算是序言吧！

從清流名士到國家重臣

兩千年的中國封建官場，不乏清流名士，也多國家重臣，然集清流名士與國家重臣于一身者，却不常見。在近代，有一個人，清流名士，名滿天下，國家重臣做得有聲有色，政績卓越，將難以融合的兩類人很好地集于一身，此人便是張之洞。

一

張之洞十四歲成秀才，十六歲領解元，二十七歲中探花，科考之早售，名次之前列，世不多見。科舉考試如此之順，并不是他會猜題目，或臨場發揮特别好，的確是書讀得好。他三十九歲時著的《書目答問》，羅列書目二千二百餘種，叙述版本源流，評點其中優劣，涵蓋中國版本目録學的方方面面。這裏既有他的博覽功夫，也見他的選擇眼光。正因爲兩者俱佳，故此書近代以來，在讀書界中影響甚大。魯迅是不大贊成讀舊學的，也不大看得起舊學研究者，但説過若要研究舊學，則須讀張之洞的《書目答問》這樣的話。對于張之洞的學問，魯迅算是給予格外的肯定。然而，張之洞又不是那種皓首窮經的學究，他同時也很有才情。他寫了不少好詩，尤其善于射覆、打詩鐘。

射覆本是古代的一種游戲：預先將一物覆蓋，猜中者獲賞。後來發展爲猜文字中的寓意，或用一種巧妙的方式將此文與彼文予以聯結。如有一覆，道是『伯姬歸于宋』。這句話出自《左傳》，須射唐人詩一句。其所覆之詩爲白居易《琵琶行》中的『老大嫁作商人婦』。爲什麽是這句詩呢？原來，伯者，老大也。伯姬即魯國的長公主。歸者，女子出嫁也。周公平定武庚叛亂後，把商舊都周圍地區分給商紂王的庶子啓，定國名爲宋，故宋國爲商人後裔聚族之地。這樣一剖析，『伯姬歸于宋』，不正是『老大嫁作商人婦』嗎？這個覆製得有學問，能射中者得既有學問又聰明。這樣的游戲的確顯得高雅，很能表現出一個人的博學與機敏，文人圈中也可憑此令人信服地定出高下檔次。

張之洞是此中高手。傳説一次京師文人聚會，才子潘祖蔭製一覆，曰『東鄰女登墻窺臣三年』。這句話出于宋玉的《登徒子好色賦》，射唐人詩一句。張之洞射中，他的答案是李白《子夜吴歌》中的『總是玉關情』。在李白的詩裏，玉關即玉門關，長安搗衣婦情繫的是玉門關戍卒。但張之洞將『玉關』拆開爲『玉』與『關』。『玉』即宋玉，『關』即關聯。宋玉是有名的美男子，東鄰女登墻窺視是因爲宋玉貌美的緣故。製覆者與射覆者的博學與機敏，都令人嘆服。

所謂打詩鐘，是興起于清道光年間的文人游戲。它是這樣玩的：任舉兩個字，在一個限定的短時間内作兩句七言格律詩，或引兩句前人的七言格律詩，兩句詩裏得分别嵌進這兩個字。當時的計時方式是燃香。用一根細綫繫一枚錢，錢下置一盂，綫繫香上，香燃綫斷，錢落盂中，發出一聲響，如同撞鐘一樣，這就叫作打詩鐘。

據説曾有人想爲難張之洞，以京師天廣寺禪房塔射山房中的『射』與『房』兩字來打詩鐘。

兩千年的中國封建官場，不乏清流名士，也多國家重臣，然集清流名士與國家重臣于一身者，卻不常見。在近代，有一個人，清流名士做得風華蓋天下，國家重臣做得有聲有色，政績卓著。將難以融合的兩種人很好地集于一身，此人便是張之洞。

一

張之洞十四歲成秀才，十六歲中解元，二十七歲中探花，才名之早，世不多見。但他並不是只會讀書、會做題目的[illegible]，他三十九歲時著的《書目答問》，羅列書目二千二百餘種，敘述版本源流，評其中優劣，指蓋中國歷來目錄學的方方面面。這本書很有他的博學功夫，也見他的選擇眼光。正因為此書有這種價值，故此書自問世以來，在讀書界中影響甚大，[illegible]不大讀書的人，也不大會不知道此書。[illegible]說過若要研究學問，則先讀張之洞的《書目答問》這樣的話。對于張之洞的學問，魯迅算是給予格外的肯定。然而，張之洞又不只是一個書齋型的學究，他同時也很有才情，他寫了不少好詩，尤其善于射覆、打詩鐘。

射覆本是古代的一種遊戲，類似猜謎，[illegible]的實質；後來發展為猜文字中的寓意，或用一種巧妙的方式將此文與某文字以詩說出。如有一處是[illegible]，[illegible]字出自《左

今月亦燈

卷二 詩 [illegible] 三三六

唐浩明評點[illegible]集 三三五

傳》，再用古人詩一句，其所藏之字出自[illegible]《[illegible]行》中的[illegible]，[illegible]大家作詩人[illegible]，[illegible]是這句詩的原來，但有人說，[illegible]大也。由此即會國的[illegible]公主，[illegible]者，文十出處也。[illegible]人公平[illegible]與說話後，也可把[illegible]合[illegible]王的[illegible]，[illegible]國各[illegible]宋，故宋國的人做[illegible]之地。這樣一首詩，「[illegible]」不[illegible]，[illegible]人歸一語。這個[illegible]有學問，誰能射中各得其[illegible]？[illegible]的[illegible]，[illegible]表現出一個人的學問與[illegible]，文人圈中也可據此令人信服地定出高下，[illegible]。

張之洞是此中高手。傳說一次京師文人聚會，大千[illegible]，[illegible]「東」字[illegible]年」。這句話出于宋玉的《登徒子好色賦》，張之洞射中，他的答案是：白《[illegible]》中的「[illegible]」，[illegible]是[illegible]。[illegible]「玉」與「[illegible]」，「玉」與「[illegible]」，[illegible]是[illegible]的美用七子，東[illegible]，[illegible]。

所謂打詩鐘，是興起于清代中期的文人遊戲。它是這樣的：任取兩個字，限定的時間內作兩句七言格律詩，或引兩句前人的七言格律詩，分別嵌入指定的兩個字。當時的詩鐘方式是這樣的：用一根細線繫一枚錢，錢下置一盂，香燃線斷，錢落盂中，發出一聲響聲，如同鐘聲一樣，這就叫作打詩鐘。

據說曾有人感嘆張之洞，以京師大學堂[illegible]中的「[illegible]」與「[illegible]」兩字來打詩鐘。

這兩個字極不好作詩。但張之洞未被難倒。綫斷之前他已作好了：射蛟斬虎三害除，房謀杜斷兩心同。前句説的是周處射蛟，後句説的是房玄齡、杜如晦的事。

野史上還説張之洞善製一種名曰無情對的聯語，即上下二聯看起來毫無聯繫，若仔細推敲，則又字義相扣關聯甚緊。傳誦最廣的張之洞的無情對是：木未成才休縱斧；果然一點不相干。

在所謂的『同光中興』年代裏，先前的内亂平定了，後起的外患尚未爆發，京師又迫不及待地鬧起文恬武嬉來。文士們喜歡設詩酒雅會，詩酒雅會上射覆打詩鐘必不可少，此中的風頭人物則爲一時名士。名士須具備四大要素：功名、學問、才情、快捷。這四個方面，張不但具備，且都要勝人一籌。于是，他自然而然地成了名士圈中的名士！

在京師名士圈中，有一些人并不衹是射覆打詩鐘而已，他們更熱衷的是談論國是，議論朝政。這些人除個别的占據要津外，大部分都是没有實職實權的閑散官員，其中又以翰林院、詹事府等文化部門的官員爲多。這些人，出發的原因或許各有不同，但最終都在一些共同點上彙集：譴責時弊、批評朝政、彈劾大員、主持正義、對外强硬、與權貴保持距離等等。他們與東漢時期的太學生們的行事相仿，于是被稱爲清流黨。清流黨的牽頭人物爲大學士李鴻藻、尚書潘祖蔭，骨幹成員有鄧承修、張佩綸、陳寶琛、吴大澂、王懿榮、寶廷、黄體芳等。張之洞雖是名士中的名士，但他『平生志趣，雅不欲以文人自居』，其志在『經營八表』。于是，他又成了京師清流黨中的骨幹。『流』與『牛』諧音，清流黨又被叫作青年黨。時人將張之

洞與張佩綸比之爲青牛的兩隻角，可見張之洞在這個圈子中所起的作用。

清流張之洞做過幾件漂亮事。一是對吴可讀尸諫所表示的鮮明支持慈禧的立場，一是對四川東鄉冤案瀆職者的强烈譴責，一是委婉批評慈禧對午門禁軍的錯誤處置，一是在《伊犁條約》簽訂前後對沙俄所持的强硬態度。這幾件事都發生在光緒五年至七年這兩三年時間内。

張之洞二十七歲開始做官，以後長時期在外省做學政，遠離朝廷，直到四十一歲回京時還衹是一個翰林院的低級官員，仕途可謂不順。從四十二歲即光緒四年起，到四十五歲即光緒七年，這三四年中，他年年升官，有時一次連升幾級，很快便躋身朝廷大員之列。光緒七年更外放山西巡撫，被托與方面重任。官運爲何又這樣亨通了？這很可能是清流名士給他帶來巨大社會聲望的緣故。

二

從光緒七年底到三十三年秋，長達二十六年的時間裏，張之洞先後出任山西巡撫、兩廣總督、湖廣總督。在山西巡撫任内，他嚴厲禁烟，大力革除衙門陋規，參劾貪腐官員。他還邀請英國傳教士李提摩太等人來山西用機器采煤。李提摩太對中國的友好以及他本人的科技知識，讓這個深受清流圈内仇外情緒影響的名士巡撫，在思想認識上對洋務有了很大的轉變。

光緒九年末，中法戰爭在越南境内爆發，一向以國是自期的張之洞對萬里之遥的戰事甚爲關心，連連上摺朝廷，獻策獻謀。他的這種表現，得到當政者的嘉許。光緒十年四月，他

奉調總督兩廣。對于張之洞來説，這次調動，既是職務上的提拔，又是使用上的重視。朝廷對他的信任，顯然非比一般。張之洞没有辜負朝廷的信任，與來到前綫的兵部尚書湘軍名將彭玉麟密切合作，起用老將馮子材，全力支持馮的用兵計劃，又聯絡黑旗軍首領劉永福，給劉以充分的信任，最後終于取得鎮南關大捷。這是近代史上中國戰勝西方列强的最重大的一次戰役。張之洞因此聲名大著，而這場血與火的戰争，也給張之洞以徹底改變身份的洗禮，即從高蹈的清流派完全轉變爲務實的洋務派。

光緒十五年，張之洞載譽來到武昌，開始他的湖廣總督之任。在湖督這個職位上，他整整待了十九個年頭，以輝煌燦爛的洋務業績，在史册上留下濃墨重彩的一頁。張被調任湖廣，是因爲修建鐵路的緣故。在當時所提出的興建國内腹部幹綫的多種方案中，張擬定的從北京盧溝橋起，中經河北、河南、湖北，以漢口爲終點的盧漢綫被采納，并負責督建此綫南端的修築。盧漢鐵路于一九〇五年全綫通車，百餘年來，成爲貫通中國腹部的一條大動脈。

除鐵路外，張之洞還大辦洋務局廠。其中最爲重要者，當數湖北鐵政局與漢陽槍炮廠。湖北鐵政局乃武漢鋼鐵公司的前身。鑒于張之洞爲中國冶金業所作出的重大貢獻，毛澤東曾經説過我們搞重工業不能忘記張之洞的話。至于漢陽槍炮廠，在日後的戰争年代裏所起的作用更爲明顯。辛亥革命之所以爆發在武昌，其中有一個不容忽視的原因，那便是當時的革命者看中了這個槍炮廠。直到抗日戰争時期，中國軍隊大量使用的，仍然是『漢陽造』。

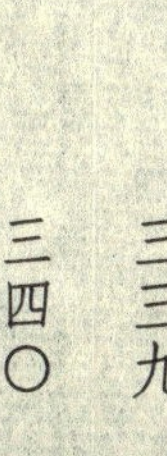

除軍事工業外，張之洞還在武漢大力興辦民用工業，著名的湖北四局即湖北紡紗局、湖北織布局、湖北繅絲局、湖北製麻局，都是張在光緒十五年至二十四年這段期間内陸續開辦的。這些民用官局與左宗棠的蘭州織呢局、李鴻章的電報局和輪船招商局等，一道開風氣之先，爲中國民用工業奠定最初的一批基石。

爲使中國强大，張之洞在署理兩江總督時，還創建一支名爲自强軍的新式軍隊。這支軍隊聘請德國軍官爲教練，按德國陸軍的操典予以訓練。自强軍常與聶士成的武毅軍、袁世凱的新建陸軍被一道提起，成爲那個時代中國新式軍隊的代表。

辦局廠，辦軍隊，都需要大量的新式人才，學政出身的張之洞遂在湖北辦起一批新式學堂，如自强學堂、農務學堂、蠶桑學堂、師範學堂、工藝學堂、方言學堂等，其中最有名的學校當屬兩湖書院。這所學堂後來又改名爲兩湖大學、兩湖總師範學堂。兩湖書院不僅培養了許多洋務人才，還培養了一大批反清志士。著名革命家黄興、唐才常等人都出于這裏。張之洞還大量派遣留學生。當時，湖廣所派出的留日生，居全國之首。

尤爲難得的是，張之洞將他的導中國于富强的治國方略上升到『中體西用』的理論高度。隨著闡述這一思想的《勸學篇》的奉旨刊行而纍計發行量達兩百萬册，『中體西用』于是成爲十九世紀末二十世紀初，最爲通俗最易爲國人所接受的改革中國的廣告詞。庚子年間，張之洞與劉坤一等人發起東南互保活動，使得東南諸省在那場混亂中儘可能地少受損失。次年，春，調署兩廣總督。對于張之洞來說，這既是[illegible]，又是[illegible]用人上的重視。[illegible]

[illegible]的信任。[illegible]張之洞[illegible]到[illegible]後，[illegible]

[illegible]合作，[illegible]用[illegible]全力支持[illegible]

劉[illegible]的信任。[illegible]中國[illegible]西方列強的[illegible]最重大的一

次戰役，張之洞因此而名聲大著，[illegible]

同治[illegible]的清流派[illegible]

光緒十五年，張之洞[illegible]

督撫[illegible]十[illegible]年，[illegible]

是因為[illegible]在[illegible]時所[illegible]

蘆漢鐵路北起北京，南至漢口，[illegible]並負責督辦南端的

修築。蘆漢鐵路于一九〇五年全線通車，成為貫通中國南北的一條大動脈。

除鐵路外，張之洞還大[illegible]。其中最為重要者，當數[illegible]

湖北鐵政局乃是漢冶萍公司的前身。鑒于張之洞為中國冶金業所作的貢獻，毛澤東曾

說：講到重工業，不能忘記張之洞。至于[illegible]所起的作

用，[illegible]辛亥革命之所以爆發在武昌，其中有一個不容忽視的原因，那就是當時的革命

[illegible]直到抗日戰爭時期，中國鐵路大幹線仍然是[illegible]

冷月孤燈

[illegible]

除軍事工業外，張之洞還在武漢大力興辦民用工業，著名的湖北四局即湖

北織布局、湖北紡紗局、[illegible]都是在光緒十五年至二十四年[illegible]陸續興辦的。

這些民用官辦企業的[illegible]

為中國民用工業奠定最初的一批基石。

為使中國強大，張之洞在署理兩江總督時，還創建了一支名為自強軍的新式軍隊。這支軍

隊聘請德國軍官為教練，按照德國陸軍的操典予以訓練。自強軍[illegible]

的新式軍隊，[illegible]那個時代中國最新式軍隊的代表。

[illegible]新式軍隊，都需要大量的新式人才，學校的興辦由此成為[illegible]一批新式學堂，

如自強學堂、農務學堂、蠶桑學堂、師範學堂、工藝學堂、方言學堂等。其中最有名的學校

當屬兩湖書院，這所學堂後來又改名為兩湖大學堂、兩湖總師範學堂。兩湖書院不僅培養了許

多年輕人才，還培育了一大批反清志士。著名革命家黃興、唐才常等人都出于湖北。張之洞

還大量派遣留學生。當時，湖廣所派出的留日學生，居全國之首。

尤為難得的是，張之洞將他的使中國[illegible]富強的治國方略上升到「中體西用」的理論高度。

[illegible]闡述這一思想的《勸學篇》[illegible]，「中體西用」于是成

為十九世紀末二十世紀初，最為通俗最易為國人所接受的改革中國的[illegible]。[illegible]，張

之洞與劉坤一等人發起東南互保活動，使東南諸省在那場混亂中盡可能避免受[illegible]，在

他又與劉坤一會銜連上三道奏摺。其中所提出的種種變法思考，實際上已畫出晚清新政的藍圖。

因興辦洋務的重大影響，也出于制約袁世凱的政治考慮，光緒三十三年，七十一歲的張之洞被內召進京，以大學士、軍機大臣的身份參知朝政。光緒三十四年十月，皇帝病危，慈禧召集三位大臣商議立嗣大事。這三位大臣即醇王載灃、內務府大臣世續及張之洞。載灃是光緒帝的親弟，世續是皇室的大管家，均爲滿人，張之洞是唯一參與此等絕密事的漢人。給載灃以監國攝政王名義，定年號爲宣統，皆出于張的建議。爲人臣者做到這種地步，也可謂登峰造極了。

三

有趣的是，身爲國之重臣的張之洞，却依舊不改早期那種清流名士的本色。

他不習慣按官場的作息制度上下班，平時説話辦事，也不大循官場套路，常常率性而爲，喜怒皆形于色。對于平庸的屬員，他多半不假辭色，而對于有真才實學的士人，則又格外有好感。時人批評他『起居無時』『號令無節』『面目可憎』『語言乏味』。他聽到這些話後并不惱怒，坦然承認有『無時』『無節』的毛病，但對自己長得醜、不會説話的缺點，却不認可。不過，據《清史稿》本傳説，張『短身』。從流傳下來的照片看，他的臉尖，鼻子大。這樣看來，張的確够不上英俊。他出生在貴州，史冊上説他『終生操黔語』。在流行官話的官場上，黔語乃土音。説他語言乏味，也不是没有根據的。總之，這四句流行很廣的評語，對張之洞來説，

應該較爲準確。

野史上有不少關于張之洞名士做派的記載，其中有些也頗有意味。如他在山西做巡撫時，爲著一個縣令替他解決『公』字與『勾』字通假的疑問，他就將此縣令升官。又爲著一個縣令不能與他暢談詩書，便判定此人必腹中草莽，遂將此人降級使用。直到晚年，他還因酷愛古董，在琉璃廠高價買了一個假貨，成爲京師官場上的一大笑話。在粵督任上，爲籌措銀子，他竟然開禁闈賭，引起士林廣泛不滿。在湖督任上，他又聽信詩人陳衍的建議，大鑄以一當十的銅元，造成通貨膨脹的嚴重後果。終于，他的這些不循常規的做法，招來了嚴厲的指摘。

光緒十九年，大理寺卿徐致祥上了一道措辭激烈的奏疏，參劾張之洞用人不當，于事不察、濫用罰捐、靡費錢財、狂誕謬妄、有名無實等種種不法情事，建議對張的使用是『外不宜于封疆，內不宜于政地，惟衡文校藝，談經徵典是其所長』。這話的意思是，張之洞不堪做國之重臣，衹能做清流名士。這就是所謂光緒年間的大參案。但最後，張之洞還是平安無事地度過了這場風波，其關鍵的原因是張爲官廉潔，不貪不撈。《清史稿》中的《張之洞傳》上説他：『任疆寄數十年，及卒，家不增一畝云。』由此看來，廉潔是爲官的一條重要原則。守住這條原則，即便遇到一些麻煩事，也可以從容應對。

張之洞雖然名士習氣嚴重，但他又决不像歷史上有些名士那樣狂狷與剛烈。如他思想上傾嚮維新，賞識康梁，但朝廷的風嚮變化後，他便立刻撇清與康梁的關係。辜鴻銘説他之所以著《勸

時代釀造的悲劇角色——《張之洞》創作思考

十九、二十世紀之交，大清國的君民是帶著奇耻大辱，告别舊世紀，走進新世紀的。一九〇〇年，兩千人的八國聯軍，居然視數萬清兵如無物，長驅直入北京城，慈禧太后携帶光緒皇帝和一大班后妃、王公大臣倉皇離京而去。京師淪陷，帝后出逃，這對于哪一個朝代來説，都是僅次于亡國的大耻。窮極思變，到了這個時候，清廷的實際當家人慈禧，這纔真正意識到要變法變制了。一九〇一年元月二十九日，流亡西安的中央政府頒發上論，宣布變法，稍後又成立了以奕劻、李鴻章牽頭的督辦政務處。

這年的七八月間，當時最負時望的兩個封疆大吏——湖廣總督張之洞和兩江總督劉坤一，接連會銜上了三道奏摺，提出興學育才、變更舊法、采用西法等一系列變法變制主張。這就是中國近代史上著名的『江楚會奏三摺』。三摺中的種種設想，日後便成了晚清新政的基本大綱。

張之洞一生最重要的時期，爲十九世紀的八十年代至二十世紀的前十年。這是中國兩千年封建帝制行將就木的三十年，是近代中國的一個非常重要的時期，《張之洞》寫的也就是這三十年。舉凡這三十年内中國所發生的一切重大事件，如中法戰爭、洋務運動、戊戌變法、東南互保、鎮壓自立軍起義、籌辦新政等等，張之洞都親身參與，而且都在其中占有著重要的地位，説他是這三十年中國政壇上舉足輕重的關鍵人物，那是毫不過分的。

具體地説，張之洞在近代中國留下了哪些痕迹呢？

作爲中法戰爭的地方最高統帥，他打赢了這一仗。這是晚清政府與外國交戰中唯一赢得勝利的一場大仗。

他籌建了當時亞洲最大的鋼鐵廠——漢陽鐵廠。他在武漢辦起了槍炮廠、織布局、紡紗局、繅絲局、製麻局，爲日後的工業大城市武漢奠定了基礎。

他最先提議修建北京至漢口的京漢大鐵路，并督辦該鐵路南段的修築。

他與戊戌變法中的重要人物康有爲、梁啓超、譚嗣同、楊深秀、楊鋭等人都有密切的聯繫。尤其是楊鋭，跟隨他二十多年，既是師生，又是志同道合的戰友。維新派視他爲强有力的支持者，他差一點要進京主持變法運動了。

在庚子年的動亂中，他倡議東南互保，鎮壓自立軍起義，免去了清廷的半壁江山之憂。

他是接受慈禧托孤的唯一漢大臣，在晚清最高政壇上的滿漢之爭中起著很大的調和作用。比如保全袁世凱的性命，對于中國歷史的演變道路便起著决定性的影響。

作爲國家重臣，他第一個大力宣導『中體西用』，他用自己的洋務局廠努力將這個構想實踐，又通過其得到光緒帝旨准發行兩百萬册的《勸學篇》，將這個構想傳遍大江南北天涯海角，使得家喻户曉人人皆知，成爲十九、二十世紀之交舉國上下最時髦的口號，并對日後中國的現代化進程影響甚爲深巨。

時代釀造的悲劇角色——《張之洞》創作回想

十九、二十世紀之交，大清國的君民是帶著奇恥大辱走進新世紀的。一九〇〇年，兩千人的八國聯軍，居然輕鬆打敗數萬清兵和義和團，長驅直入北京城，慈禧太后挾着光緒皇帝和一大批后妃、王公大臣倉皇離京而去。京師淪陷，帝后出逃，這對于哪一個朝代來說，都是僅次于亡國的大難。驚魂甫定，到了這個時候，清廷的實際當家人慈禧才真正意識到要變法了。一九〇一年元月二十九日，流亡西安的中央政府頒發上諭，宣布變法，隨後又成立了以奕劻、李鴻章領頭的督辦政務處。

這年的七八月間，當時最負時望的兩個封疆大吏——湖廣總督張之洞和兩江總督劉坤一，聯銜會奏了三道奏摺，提出興學育才、變通舊法、采用西法等一系列變法主張。這就是中國近代史上著名的「江楚會奏三摺」。日後的清廷新政即以此為基本大綱。

張之洞一生最重要的時期，為十九世紀的八十年代至二十世紀的前十年。這是中國兩千年封建帝制行將就木的三十年，是近代中國的一個非常重要的時期。《張之洞》寫的也就是這三十年。舉凡這三十年內中國所發生的一切重大事件，如中法戰爭、洋務運動、戊戌變法、東南互保、鎮壓自立軍起義、籌辦新政等，張之洞都親身參與，而且都在其中占有著重要的地位，說他是這三十年中中國政壇上舉足輕重的關鍵人物，那是毫不過分的。

冷月孤燈

卷二　時勢造英雄　三四六

唐浩明讀史隨筆集　三四五

具體地說，張之洞在近代中國留下了無法忽視的遺跡。

作為中法戰爭的前方最高統帥，他打贏了這一仗。這是晚清政府與外國交戰中唯一一次贏仗。

機構的一流大學。

他創辦了當時中國最大的鋼鐵廠——漢陽鐵廠；他在武漢辦起了紡紗局、織布局、繅絲局、制麻局，為日後的工業大城市武漢奠定了基礎。

他最先提議修建北京至漢口的京漢大鐵路，并督辦蘆漢鐵路南段的修築；

他與戊戌變法中的重要人物康有為、梁啟超、譚嗣同、楊深秀、楊銳等人都有著密切的關係。尤其是據說，早在二十多年前，他的門生又是志同道合的戰友，維新派視他為最有力的支持者，他差一點要進京主持變法運動。

在庚子年的動亂中，他倡議東南互保，鎮壓自立軍起義，免去了清廷的半壁江山之憂。

他是接受洋務洗禮的唯一漢大臣，在晚清高層政壇上起著極大的調和作用。如保全袁世凱的性命，對于中國歷史的演變道路有著決定性的影響。

作為國家重臣，他第一個大力宣導「中體西用」，他自己則努力將這個構想付諸實踐，又通過其經光緒帝頒行天下的《勸學篇》，將這個構想傳遍大江南北，使得「中體西用」為人人皆知，成為十九、二十世紀之交舉國上下最時髦的口號，并對日後中國的現代化進程影響其成敗得失。

照理說，這樣一個人物應該得到歷史的尊重和後世的緬懷，但事實并非如此。在晚清和民國時期出版的各種私家史乘中，張之洞的形象大多不佳，他被說成一個熱衷仕宦、投機取巧、好大喜功、鋪張糜費的政客，一個使氣任性、行爲乖張、倨傲自大、偃蹇作態的名士，一個面目可憎、語言乏味的丑角。到後來，隨著洋務運動的被全面否定，這個洋務運動的『殿軍』也自然而然地被輕蔑地抛弃了。儘管一個偉人說過我們『不應忘記張之洞』的話，但在實際上，他被人忘記了。

歷史車輪進入二十世紀八十年代，『現代化』的呼聲再次在中國響起時，人們纔想到，自從鴉片戰爭以來，中國有著一批又一批的愛國之士，不願意看到國家因貧窮落後以致滅亡，他們一直在尋找導中國于富强的道路。道路有許多條，但有一條似乎是最引人注目的主綫，即向西洋歐美學習，向東洋日本學習，學習他們的科學技術，學習他們的治國方法，乃至于學習他們安邦立國的精神、意識、品性、文化……

于是，洋務運動和它的一班主要倡導者，重新受到人們的關注，張之洞即是其中重要的一個。

從這個角度上看，『張之洞』無疑有很强的現實性和觀照性。西方智者說：一切歷史都是當代史。中國國民對近代史的興趣，又一次爲這個觀點提供了證據。

然則在近幾十年的時間裏，人們對張之洞和他的洋務事業進行的批判指責，難道都是無中生有，都是不負責任，都是錯誤的嗎？顯然也不全是這樣。其中的原因，除張之洞本人的爲人，有不少該指責處外，最主要的是他所辦的洋務事業幾乎都沒有取得大的成就，更沒有達到他所期盼的富國强兵的目的。說句并不太苛嚴的話：他的洋務事業是失敗的。

要說此人最值得今天重視的價值，便是他所留下的這份洋務失敗的遺產。從本質上說，我們今天的『與世界接軌』，就是鴉片戰爭以來中國先進人士所探索的那條救國主綫的繼續。這條主綫曾在張之洞死去後不久給中斷了。分析離我們最近的這輛『車』的傾覆，對于今人有直接的藉鑒作用。

我以爲，張氏洋務事業所留下的最大教訓有如下幾條。

一、他的洋務局廠是衙門而不是企業。

局廠各級各部門的負責人大多是候補官員，而不是懂技術的專家。因爲是官僚治廠的緣故，衙門習氣嚴重：程式繁多、講排場、無效率、無責任心、推諉敷衍、人浮于事等等。且裙帶風盛行，從領導到員工，引進的多是私人。

二、缺乏科學合理的設計規劃。如漢陽鐵廠設在漢陽，既不在產煤區，也不在產鐵區，規劃不合理。

三、沒有市場概念。

張氏辦洋務大手大脚，不算經濟賬。漢陽鐵廠生產的鋼鐵，品質不如外國，且價格又比

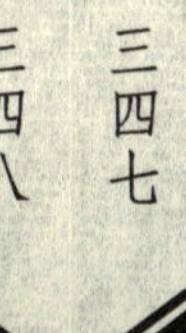

照理說，這樣一個人物應該得到歷史的尊重和後世的緬懷，但事實並非如此。在晚清和民國時期出版的各種私家史乘中，張之洞的形象大多不佳，他被說成一個熱衷仕宦、投機取巧、好大喜功、鋪張浪費的政客，一個便宜任性、行為乖張、倨傲自大、矯揉作態的名士，一個面目可憎、語言乏味的丑角。到後來，隨著洋務運動被全面否定，這個洋務運動的『殿軍』也自然而然地被遺棄了。儘管曾有人說過『不懂張之洞』的話，但在實際上，他被人忘記了。

歷史車輪進入二十世紀八十年代，『現代化』的呼聲再次在中國響起時，人們意識到：自從鴉片戰爭以來，中國有著一批又一批的愛國之士，不願意看到國家因貧弱挨打以致滅亡，他們一直在尋找中國富強的道路。道路有許多條，但有一條似乎是最引人注目的主線，即向西洋歐美學習，向東洋日本學習，學習他們的科學技術，學習他們的治國方法，乃至學習他們安邦立國的精神、意識、品性、文化……

於是，洋務運動和它的一班主要倡導者，重新受到人們的關注，張之洞即是其中重要的一個。

從這個角度上看，『張之洞』無疑有很強的現實性和實用性。西方哲學家說：一切歷史都是當代史。中國國民對近代史的興趣，又一次因這個觀點而被『激活』。

然而在近幾十年的時間裡，人們對張之洞和他的洋務事業進行的批評指責，難道都是無中生有，都是不負責任的謬論，顯然也不全是這樣。其中的原因，除開張之洞本人的為人，有不少該指責處外，最主要的是他所辦的洋務事業幾乎都沒有取得大的成就，甚至沒有達到他所期盼的富國強兵的目的。說句並不太苛刻的話：他的洋務事業是失敗的。要說此人最值得今天重視的價值，便是他所留下的這份洋務失敗的遺產。從本質上說，我們今天的『與世界接軌』，就是鴉片戰爭以來中國先進人士所探索的那條救國主線的繼續。這條主線曾在張之洞死去後不久給中斷了。分析離我們最近的這輛『車』的傾覆，對於今人有直接的借鑒作用。

我以為，張氏洋務事業所留下的最大教訓有如下幾條。

一、他的洋務局廠是衙門而不是企業。局廠各級各部門的負責人大多是候補官員，而不是懂技術的專家，因為是官場的緣故，衙門習氣嚴重：程式繁多、講排場、無效率、無責任心、推諉敷衍、人浮於事等等，且蔓延盛行，從領導到員工，引進的多是外行人。

二、缺乏科學合理的設計規劃。如漢陽鐵廠設在漢陽，既不在產煤區，也不在產鐵區，規劃不合理。

三、沒有市場概念。張氏辦洋務大手大腳，不算經濟賬。漢陽鐵廠生產的鋼鐵，品質不如外國，且價格又比

人家高，自然賣不出去。

四、不應官辦應商辦。

張之洞在湖北辦洋務之初，盛宣懷便向他建議募集商股，采取官督商辦的形式，但張氏斷然否決，堅持要用官辦，結果越辦越虧，最後不得已纔轉給盛宣懷去商辦。商辦是資本主義經營企業的成功方式，在當時的中國，官辦衹能是一套封建衙門的做派，兩者是有本質區别的。

總之，張氏辦洋務，用心雖好，收效則甚微，究其原因，是沒有把洋務辦到位，正爲辜鴻銘所說的：『衹有模樣，沒有精神。』造成這種後果，固然有其個人的因素，但更重要的是時代因素。

時代因素中最主要的有兩點。

一、引進西方的科學技術，在中國已屬破天荒，引進西方的企業管理制度，則更是對中國傳統意識形態的强烈衝擊，遇到的阻力非常巨大。單有機器，沒有管理，當然辦不好。

二、當時的大清帝國民貧國弱、弊端叢生，最爲嚴重的是官場上下一片腐敗，在這種環境中，幾乎任何一點稍大的作爲都不能獲得成功。從這個視角上來看，張之洞其實是那個時代的悲劇人物。

寫出時代釀造人生的悲劇命運，最富于文學價值。而這，又正是這部長篇小說的寫作意圖。

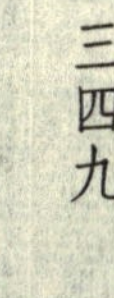

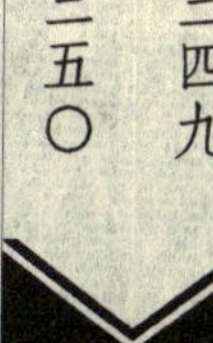

黑格爾說：歷史有屬于未來的東西，作家找到了它，也便找到了永恒。功名和事業，會因時代不同而不同，輝煌和失敗都衹是短暫的，衹有人本身所具有的屬性和力量，即人性和人格，纔能喚起讀者對歷史創造者永遠的興趣。

我想，這或許便是黑格爾所說的『永恒』。因而寫活人物，尤其是寫活主人公張之洞，應是小說的第一要務。張之洞的鮮活，不在于他的事功和地位，而在于爲事業而奮鬥的過程中所顯示的屬于他個人的性格。

張之洞是個什麽樣的人物？

小說中的文學人物張之洞，是一個以國事爲重、一心爲國效力的愛國士人，也是一個順乎時代潮流、有遠見卓識的高級官員；但他同時又是一個視仕宦爲生命、鐵心忠于朝廷的傳統士大夫，也是一個缺乏『現代化』知識，滿腦子儒家禁錮的封建官僚。

他是一位肯辦事能辦事具有大氣概的實幹家，也是一個師心自用、衹講形式不重實效的官場人物。

他生財有道，廣闢財源，也不惜敗壞社會風氣，將負擔轉嫁給普通百姓。他辦洋務追求闊闊，一甩千金，甚至得『屠財』惡名；但他自己却清廉自守，一生手中過銀千千萬萬，却不貪污受賄分文，到死『房不增一間、田不增一畝』，即便那些詆毁他的野史，在『廉』這一點上對他都一致予以認同。

人家高，自然賣不出去。

因，不應官督商辦。

張之洞在湖北辦洋務之初，提倡募集商股，採取官督商辦的形式，但張氏斷然否決，堅持要用官辦，結果連連虧損，最後不得已纔轉給盛宣懷去商辦。商辦是資本主義經營企業的成功方式，在當時的中國，官辦祇能是一種封建衙門的做派，兩者是有本質區別的。

總之，張氏辦洋務，用心雖好，收效則甚微，究其原因，是沒有把洋務辦到位，正如所說的，一祇有精神，一造成這種效果，固然有其個人的因素，但更重要的是時代因素。

時代因素中最主要的有兩點。

一，引進西方的科學技術，在中國已屬破天荒，引進西方的企業管理制度，則更是遭遇中國傳統意識心態的強烈衝擊，遇到的阻力非常巨大。單有才幹，沒有適宜的環境，當然難以作為。二，當時的大清帝國民窮國弱，弊端叢生，最高權力的皇室上下一片腐敗，在這種環境中，幾乎任何一點偉大的作爲都不能獲得成功，從這個角度上來看，張之洞其實是那個時代的悲劇人物。

寫出時代製造人生的悲劇命運，是富于文學價值，而這，又正是這部長篇小說的寫作意圖。

黑格爾說：歷史有關于未來的東西，作家找到了它，也便找到了永恒的內容和事業，會因時代不同而不同，譚嗣同先生說部所長在激響的，祇有人本身所具有的個性和力量，即人人格，纔能喚起讀者對歷史中創造者本質的興趣。

較，這或許更是黑格爾所說的「永恒」，因而寫活人物，尤其是寫活主人公張之洞，應是小說的第一要務。張之洞的鮮活，不在于他的事功和地位，而在于為事業而奮鬥的過中所顯示的屬于他個人的性格。

張之洞是個什麼樣的人物？

小說中的文學人物張之洞，是一個以國事為重，一心為國效力的愛國士人，也是一個應時代的潮流，有遠見卓識的高級官員；但他同時又是一個視君主高于生命，纖心忠于清廷的紳士大夫，也是一個缺乏「現代化」知識，滿腦子儒家禮教的封建官僚。他是一位言論與事業都具有大氣魄的實幹家，也是一個師心自用，祇講形式不重實效的官場人物。

他生財有道，廣開財源，也不惜取媚社會風氣，將負擔轉嫁給普通百姓。他辦洋務，追求西一擲千金，甚至得了「屠財」惡名，但他自己却清廉自守，一生手中過銀千萬兩，却不貪受賄分文，到死了「房不過一間，田不滿一畝」，即便那些詆毀他的野史，在「廉」這一點上對他都一致予以認同。

他博學好古，詩文領一時風騷，但不以詞臣諫官爲滿足，一心要做經濟大業，然在疆吏生涯中，却又時時暴露出其書生的特質及弱點。

他以儒臣自居，對門生僚屬的德行操守要求甚嚴，但自己却不過多培植内聖功夫。他不拘常禮、不循常度，且在政治上極善經營，是一個會做官又官運好的角色。

總之，文學人物張之洞是一個有著許多缺點，然大體上不失可敬可近的名士型官員。他是十九、二十世紀之交的中國一個極具典型性的士人，同時又有著鮮明的個性特色。通過這個文學形象，或許能够更生動地瞭解中國封建末期的官場。這個封建官場的消失，距今不過百年，至于它的影響，不僅現在存在，很可能還要持續一段相當長的時期。如此看來，《張之洞》就不完全是一部閑書，它或許也能給當今讀者以某些啓迪。

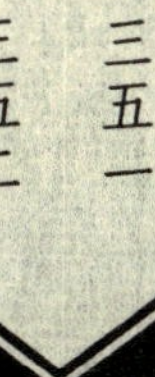

從詩歌創作看張之洞的真性情

張之洞是中國近代史上一位重要人物，他以辦理新政和倡導『中體西用』思想而著名。作爲一個翰林出身的官員，張之洞一生也創作了大量的詩歌。人們通常認爲，晚清名臣能詩者，前推曾國藩，後屬張之洞。

《清史稿》張之洞本傳説他『愛才好客，名流文士多趨之』。不少野史又説他疏于『内聖』功夫，較爲任性，名士習氣濃厚，屬于性情中人一類。看來，張之洞是一位富有個性的人物。他所存世的四百多首詩歌，就生動地展現了他的真情至性，我們可以藉此窺視這位一代名臣的另一面。

一

我們先來讀讀《花之寺看海棠坐中同年董兵備將有秦州之行》這首詩。

張之洞有個同年，名叫董硯樵。此人在甘肅做了好幾年的道臺，丁憂服闋後又放陝西的道臺。陝甘歷來爲貧瘠多事之地，總在這一帶做地方官，董硯樵意頗鬱鬱。時任京官的張之洞寬慰他，請他賞花喝酒，并寫了這首詩爲他送行。

詩寫得很有趣：『春光如箭去可惜，有如千里遠行客。主人惜别并餞花，到此都能飲一石。』美麗春光的流逝和同年好友的遠行，都是令主人深爲嘆息的事情，暫以豪飲來减輕心中這股

多年後，當他結束四川學政任期攜眷回京時，再次見到留侯祠，又作了一首詩《游紫柏
發的全是自我不得意的牢騷，發諸他當時的心境。應該說詩意所是實情。

功名不成，事業無望，相對前人的功成身退，真是羞慚不已。全詩幾乎不涉及祠廟的主人，

爆竹聲，益發顯出旅途之客的孤單冷清。「文武成何事，僕僕病宦途。青山出茶之，偏此遍隔遠。」

大雪積壓關無人聲。「窮村爆竹聲，暗啞如裂布。」除夕之夜，祇有幾聲稀疏的

「今年伴道士，寒燈照臥具。」今年除日又與道士作伴，寒燈之下宿在古廟之中，外面

淒涼的典定。

與寥。「一歲連四個除日四個地方，而且都不在家鄉。」他慨嘆自己的處境如同飛蓬柳絮一樣地東之祠的留侯祠詩卻完全是另外一種意緒：「四年四除日，倏如過水度。無成不足方，可笑蓬翩翩張子房，身名大自在。」「國仇亦已償，不退當何待！」「鬱鬱紫柏山，英風邈千載。」「何試，途中亦宿于此廟，也寫了一首詩。詩中作者對張良大加讚賞：「小道猶資禾，進人江南。」

之身份住在這個古老的祠廟中，少不了要說幾句讚美的話。比如十二年前曾國藩去四川主持鄉漢初名臣，為漢朝的建立立過大功，然後又功成身退，為高士人所景仰。通常，以一年輕人奉父命，取道四川、陝西、山西北歸直隸原籍，途中宿紫柏山留侯祠。留侯張良，乃

我們再來讀讀《乙卯除夕宿紫柏山留侯廟》一詩。乙卯年即咸豐五年，這年曾紀澤十九歲，在的話，的確是一首構思獨特、詩意盎然的佳作。

全詩情意懇切真摯，無矯揉造作之態，不出語空之言，不陳過高之義，說的全是實實在在

空白了少年頭」。涼州有全國出名的葡萄美酒，它可以消愁解憂。

亦不過是過眼雲煙罷了。人生盛年正如滿堂的盛開之時，應當珍惜，好好享受，不要讓光陰到揚州那樣的好地方去做官誰不想呢？但是既然沒有得到，也不必懊惱。妹麗、寶竿之的繁華享受，功名，豈能常藉如飛鳥。「人生美官誰不求，涼州美酒能消憂。花好亦知盛年好，莫遣少壯空白頭。」

最後，詩人對同年道出了自己的見解：「平生宦游許京，不辭守邊事征戰。今日男兒重詩句。」現在，這些繁華富貴已轉瞬而去了。

現如風逸。「原來，詩題還在此處集會時，猶頭上留下了他們當年遊樂歡宴在此揚州的是人們心目中的最高快樂之事。然而，這與眼前有什麼關係呢？「揚州與詩賦皆錦繡，繁華高有名的富貴之鄉，溫柔之處，最是銷魂蝕骨之處。俗語說「腰纏十萬貫，騎鶴下揚州」，乃實結論。「劉郎今的還是花之中的青色，為何突然說到了揚州？長江邊的揚州古城，不面旋有顯高奇特：「乾隆道在西城會，腰纏十萬來廣陵。白播妹麗到花前，寶字描

接的京師春景。然而，一個「憶」，一個「夢」，又給這帶春景蒙上了一層淡淡的陰影。

近的今接着。「離恨既深縮，春氣直濃，樂生花在路，樓臺煙柳，這一切組成了一幅使人留戀不

接下來寫在之年的春光：「新花發後無限綠，閒光蕩漾無邊許。石代邸畫裡閒碧，開

濃厚的猶疑而已！

濃厚的惆悵吧！

接下來寫花之寺的春光：『新陰裊裊燕雛語，脂光澹薄無幾許。石氏珊瑚强護持，關樓紅粉含凄楚。』雛燕呢喃，春氣氤氳，鮮花紅艷，樓臺掩映。這一切組成了一幅使人留戀不捨的京師春景。然而，一個『强』，一個『凄楚』，又給這幅春景塗上了傷感的色彩。

下面幾句頗爲奇特：『乾嘉遺老西城會，腰纏十萬來廣陵。日携姝麗到花窟，寶箏瑶席驚枯僧。』剛纔吟的還是花之寺的春色，爲何突然跳到了廣陵？長江邊的揚州城古稱廣陵，爲有名的富貴之鄉温柔之地，最是銷魂蝕魄之處。俗話説『腰纏十萬貫，暮春下廣陵』，乃是人們心目中的最爲快樂之事。然而，這與眼前有什麽聯繫呢？『墻頭詩榜黯塵土，繁華轉眼如風鐙。』原來，乾嘉遺老在此處聚會時，墻頭上留下了他們當年游廣陵逛花窟赴瑶席的詩句。現在，這些繁華舊夢已轉瞬而去了。

最後，詩人對同年道出了自己的見解：『承平仕宦得游宴，不解守邊事征戰。今日男兒重功名，豈惜穠華如飛霰。人生美官誰不求，凉州美酒能銷憂。花好亦如盛年好，莫遣沙場空白頭。』到廣陵那樣的好地方去做官誰不想呢，但是既然没得到，也不必鬱鬱，姝麗、寶箏式的繁華享受，亦不過是過眼雲烟罷了。人生盛年正如海棠的盛開之時，應當珍惜，好好享受，不要讓沙場空白了少年頭，凉州有全國出名的葡萄美酒，它足可以消愁忘憂！

全詩情意懇切真摯，無矯揉造作之態，不出蹈空之言，不陳過高之義，説的全是實實在在的話，的確是一首構思跌宕、詩意盎然的送别佳作。

我們再來讀讀《乙卯除夕宿紫柏山留侯祠》一詩。乙卯年即咸豐五年，這年張之洞十九歲，奉父命，取道四川、陝西、山西北歸直隸原籍，途中除夕恰宿陝西留壩廳内張良廟。張良乃漢初名臣，爲漢朝創建立過大功，然後又功成身退，素爲士人所景仰。通常，以一年輕舉人之身份住在這個名臣的祠廟中，少不了要説幾句贊美詞。比如十二年前曾國藩去四川主持鄉試，途中亦宿于此廟，也寫了一首詩。詩中便對張良大加贊揚：『小道循聲榮，達人志江海。咄咄張子房，身名大自在。』『國仇亦已償，不退當何待！鬱鬱紫柏山，英風渺千載。』但是，張之洞的留侯詩却完全是另外一種意緒：『四年四除日，疾如逝水度。無歲不易方，可笑蓬與絮。』接連四個除日四個地方，而且都不在家鄉，他嘆自己的處境如同飛蓬和柳絮一樣地漂泊無定。

『今年伴道士，寒燈展卧具。』今年除日又與道士作伴，寒燈之下宿在古廟之中，外面大雪積壓闃無人聲。『窮村爆竹稀，喑啞如裂布。』山野偏窮，除夕之夜，衹有幾聲稀疏的爆竹聲，益發襯出旅途之客的孤單冷清。『文武成何事，僕僕病道路。青山茁紫芝，愧此凄隱處。』功名不成，事業無望，相對前人的功成身退，真是羞慚不已。全詩幾乎不涉及祠廟的主人，發的全是自我不得意的牢騷。揆諸他當時的心境，應該説詩寫的是實情。

多年後，當他結束四川學政任期載譽回京時，再次見到留侯祠，又作了一首詩《游紫柏山留侯祠》：『雲麓標隱居，喧喧臨孔道。成功辟穀人，胡不尋幽窕。』詩一開頭便緊貼詩題，談起這位漢初三杰之首來，并挑剔地責備張良隱居何不尋幽窕之地，偏要在此孔道邊辟穀。『稍有一壑秀，猶憾層岩少。森森庭柏疏，涓涓砌泉繞。』雖然壑谷還算清秀，祠廟四周景致也不錯，但附近峰巒少了，不够理想。

接下來又是責怪：『可惜公强飯，牽連累四皓。如意類龍顔，羽翼何顛倒。徒抛紫芝香，終望赤松杳。』道引輕身是明智的决定，可惜不該礙于吕后的面子勉强進食。至于請出商山四皓來爲太子壯威，更是羽翼倒置了，使得類似高祖的趙王如意競争失敗，引出後來的高后執政諸吕之亂，則實在是失策，最後病死任上，徒留下『赤松』空名。

一處留侯祠，兩首不同的詩。前詩是落魄書生的羈旅苦况，後詩是學臺大人的刻意立异。處境變了，心態變了，詩作的切入點也自然變了；相同的一點是，兩首詩都是詩人寫作時的真實心情的流露。

張之洞的詩歌中有不少顯露他真率性情的作品，這些詩作又爲正史野史中關于他的爲人提供了證據。如張氏天賦并不特别聰穎，而性格又屬于剛烈一類，他的詩裏便有這樣的句子：『我性樸鈍君靈奇……君嘗規我太剛必損折。』他敢于逆難上疏言事：『白日有覆盆，刳肝訴九閽。虎豹當關卧，不能遏我言。』他平生好古好書好飲酒：『亦如舊槧書，未讀神先悦。』『我亦癖書如琳璆，享帚狹陋良足羞。監酒載書倘許借，他日準擬相從游。』張氏喜花木，

于花木中尤重松，自謂：『平生有篤嗜，謂勝桃林姣。』他任兩廣總督時，特爲移兩棵大松樹于總督衙門前坪，賦詩曰：『增此兩畏友，峨冠强哉矯。坐對穆青風，塵牘紛如掃。』張氏對前代詩人，特别喜歡蘇軾。詩集中有好幾首詩都是咏的這位東坡居士，請看這樣兩句：『我哀公遇誦公詩，八州遍到拜公祠。』并自注：『眉州、嘉州、杭州、黄州、登州、定州、瓊州、廉州，皆余所到。』凡所經過的地方，衹要有蘇東坡的祠廟必去祭拜。張氏對蘇軾的愛戴之情，發自内心。

在這些真性流露的詩歌中，我們自然甚爲注意張氏所寫的兩組悼亡詩。張氏一生仕途順遂，但他一生的婚姻却多有不幸。他前後三娶，但三個夫人都不得天年。結髮妻子石氏與張氏共同生活十一年，育有一子一女。石氏與張氏結縭于艱難歲月，到張氏境遇初轉時却撒手而去，令張氏十分悲痛。第一組《悲懷》便是懷念石氏的。這組詩共五首。第一首借用王安石『百日在外一日歸』的成句，回憶當年因忙于功名生計離多聚少的苦况。第二首稱贊石氏臨終囑托『不作佛事』的明達。第四首稱贊石氏儉樸治家的美德。我們現在來細讀一下第三首和第五首：『酒失常遭執友嗔，韜精豈效閉關人。今朝又共荆高醉，枕上何人諫伯倫。』『空房冷落樂羊機，忤世年年悟昨非。卿道房謀輸杜斷，佩腰何用覓弦韋。』張之洞有貪杯之癖。有一則野史上説，張氏有次醉酒，曾用石硯擊石氏頭。他這種酒後的失態，常遭好友的嗔責。今天想起賢妻生前種種，借酒消愁而大醉，而枕邊再也没有規諫的人了。這種現實是多麽地令人難以接受！

山留疾病相《》：「一生無端遍漫居，道臨孔道。故功深為人，而不專事臨敘。」詩一開頭便緊接詩題，談也這位漢的二十本之首來，并非張良地貴備張良隱居何不專事臨敘之地，偏要在此北邊遠尋呼數。「一首有一童子，當看酒店炒，森林四周相擁，消沿的泉流。「一條然壑谷遠實清秀，植物四周景致也不語，但所在近年纏令了，不必多重遇。

拔下來文是黃成。「一可指入謀敘，幸運果而詩，前意激濃論領，再莫為何頑過。仗瀟然之香，擬望赤松杏。「一道引擬身是明智的決定，可詣不該屬于石后的面于強連食，至于請出商山四時來為太子壯氣，更是對實國置了，便得強從而高祖的忙在王如意發并大敗，引由從來的高后執政諸呂之亂，則實在是失策。最後輪於「任上，「在留下「亦楚」公一園宿保祠，而百不同的詩。而詩書生的讀書志是感，從說是學高大人的清意立亮這意變了，心應變了。詩作的切入點也自然變了，相同的一點是：兩首詩都是詩人寫作時的真實心情的流露。

張之洞的詩歌中，有不少歌詠歷代真事件的作品，這些詩作又為正史野史中關于他的為人提供了新證據。如張氏天賦并不特別聰穎，而他教文屬于勤奮一類，他的詩集中有這樣的句子：「我生性樸魯，石君賞識我大闢，必根性作……」「一他政在上海上演言事……「一日日有復命，剝研詩九閣，完約當關時，不能適我言。」他平生好古好書好飲酒：「一不知道有何未讀書，未讀師書先出」「一是亦辨書如林逸，卓爾下言良史才。」監酒散書尚許伊，他日車攜相從游，「一張氏在本書

干在本中尤重於自謂：「一平生有萬譜，消雅精林好。」他任兩廣總督時，特為西湖題大散樹于總督衙門前，坪鐵詩曰：「誰知我兩廣少，兼不豆城，要有坐對豐青風，遍讀論功偈。」張氏對前代詩人，特別喜歡蘇軾，詩集中有好幾首詩都是詠的這位東坡居士。詩有首論東坡兩句：「我東公過諸公詩，八洲遍到年公詩。」并自注：「一目州、壽州、杭州、黃州、登州、定州、惠州、瓊州，皆余所到。」凡所經過的地方，都要有蘇東坡的詞韻，必去祭拜。張氏對蘇軾的愛戴之情，發自內心。

在這些真性流露的詩歌中，我們自然甚為注意張氏所寫的兩組悼亡詩。張氏一生共娶三妻，但他一生的婚姻卻多有不幸：三個夫人都不待天年。結髮妻子石氏與張氏共同生活十一年，育有一子一女。石氏與張氏的婚姻美滿，到張氏境遇好轉時，石氏卻撒手而去，令張氏十分悲痛。第一組《悲痛》便是懷念石氏的。這組詩共五首。第一首借用王安石『百日在外一日歸』的詩句，回憶當年因作官而不能多與石氏團聚，第二首稱讚石氏臨終遺言「不作佛事」的明達，第四首稱讚石氏除治家外的美德。我們現在來讀一讀第三首：「一酒失常遭敲左頂，蕭情豈效閨闈人。令朗又是東吳才，天下可人東伯倫。「一空后令落潞羊梳，格世年年語非非，卿道方蕭論世歡，圓彈何用息哀章。」張之洞有負于石之處。有一回史上說張氏有次醉酒，曾用石硯擊石氏頭，他這種酒後的失態，常遭好友的責。今天想起當年生前種種，借酒消愁而大醉，而枕邊再也沒有規諫的人了，這種現實是多麼地令人難以接受！

人去樓空，閨房冷落。當年樂羊之妻以織布爲喻勸導翹課回家的樂羊，終使樂羊羞愧而發憤苦學成才。石氏亦有樂羊之妻的賢德。有如此內助，真不必以佩弦佩韋來加以提醒。現在，忤世之失還時常有，但弦韋已不復存在了，心情的悵惘何時能了！

坦率地承認自己有酗酒、忤世等種種弊病，痛惜賢妻永逝，藥石不存，張之洞在率真的性格中又顯示出重情的一面。

第二組《永嘆》三首詩懷念的是第三任夫人王氏。王氏通曉詩書，且能畫畫，與張之洞情投意合，夫妻恩愛。可惜天不假年，結婚僅三年，王氏便去世了。張之洞懷著深深的眷戀，寫下了這組詩：『重我風期諒我剛，即論私我亦堂堂。高車蜀使歸來日，尚借王家斗麵香。』張之洞在蜀三年，兩袖清風，一塵不染，連例屬二萬兩餐費銀亦堅辭不受。到啓程時，治裝的錢都沒有，衹好售去所刻萬氏十書經版。對于張之洞這種常人不能理解的清廉舉動，新婚的王氏夫人完全贊同。夫婦二人還都後生計甚窘。張氏生日時連辦一桌酒的錢都沒有，王夫人乃典當陪嫁衣一件爲之置酒。詩中回憶的就是這樁事。

『妄言處處觸危機，侍從憂時自計非。解識篝燈悲憤意，終羞攬袂道牛衣。』張之洞回京後，作爲清流名士屢屢上書言事，糾彈得失，不免得罪權貴，心中常懷惴惴。深夜燈下，王夫人便成了他最好的訴心者。而且京官清貧，家境不寬裕。對于這些，王氏都不在乎。

『門第崔盧又盛年，饁耕負戴總歡然。天生此子亦栖隱，偏奪高柔室內賢。』王氏出身高門大族，且比他年輕甚多，但甘居貧寒，與他相依爲命。仕途艱難，長期不得遷升，張氏萌生了辭官之念，夫人將是他歸隱的最好伴侶，但老天爺爲何偏要奪去這位高貴而溫柔的賢內助呢！張之洞對王氏夫人的盛年去世，是多麼的痛心疾首啊！

二

張之洞在成長過程中，曾有幸受過一批名師的指點。師輩之中，張氏尤爲敬重胡林翼。

胡林翼號稱『中興四大名臣』之一，功勛顯赫，威望卓著。張氏少年時代，胡林翼正在貴州做黎平知府，與張氏的父親要好，張氏因此曾拜在胡的門下。張氏十六歲中舉人第一名，消息傳到貴州，胡林翼高興得一連幾天笑口常開。師生相處之日不久，師生之情却甚深。胡林翼以其巨大的事功而成爲張氏膜拜的對象。張氏後來也做了湖廣總督，對這位前任兼恩師優禮有加。他在武昌擴建胡林翼的祠廟，親往憑吊，并賦詩兩首：『樞軸安危第一功，上游大定舉江東。目營四海無畦町，手疏群賢化黨同。江漢重瞻周雅盛，山林始起楚風雄。長沙定亂誠相似，未及高勛又赤忠。』『二老當年開口笑，九原今日百身悲。敢云駑鈍能爲役，差幸心源早得師。聖慮當勞破關後，雄心不瞑渡江時。安攘未竟公遺憾，徼福英靈倘有知。』張氏對胡的評價之高、感恩之深，可謂無以復加！

令我們欣喜的是，詩集中保留了張氏與其房師范鳴龢的唱和詩。說起范與張氏的情誼來，實在是中國科舉史上的一段佳話。

張氏中舉後，因爲丁憂及迴避等原因一直未能參加會試。同治元年，做了十年舉人的張之洞前往北京參加初次會試。他才高氣盛，文章不落俗套，甚得房師范鳴龢的欣賞。范極力推薦，但終因張氏的文章不全合闈墨規範而被擯。范深爲張氏抱屈，力爭不成，竟然爲此而憤悒流泪。

第二年爲同治帝登極恩科，張之洞再次參加會試，范也再次充任閱卷官。真是有趣得很，張氏的試卷又落到了范的手裏。試卷是糊名的，范并不知是誰的卷子。范閱後激賞不已，推薦上去，填榜時纔知道乃張氏的卷子。范非常激動，對別的考官説：『身爲會試考官，能有此奇遇，其樂勝過得仙！』并賦詩四首爲志。這四首詩均寫得極富感情，受篇幅所限，我們僅選其中一首來欣賞欣賞：『一謫蓬萊迹已陳，龍門何處認迷津。適來已自驚非分，再到居然爲此人。歧路劇愁前度誤，好花翻放隔年春。群公浪説憐才甚，鐵石相投故有神。』

百年前的考官范鳴龢這種憐才愛才之心，時至今日，仍讓筆者感動不已，何況當年的得益者張之洞，其感激之情可想而知。張之洞寫了三首情意深長的詩來感謝恩師的這片高誼。我們一起來讀讀：『十八瀛洲選，唯公薦士誠。不才晚聞道，因困轉成名。已賦從軍去，重偕上計行。天知陶鑄苦，更遣作門生。』『滄海横流世，何人惜散才。嶔奇爲衆笑，澌袚有餘哀。疊中憑摸索，孤生仗挽回。韓門多徹喜，應恨不同來。』『十載栖蓬累，輪囷氣不磨。殿中今負扆，江介尚稱戈。一介雖微末，平生耻婞婀。心銜甄拔意，不唱感恩歌。』

張之洞把房師的知遇之恩銘記心中，以日後爲國盡忠的厚禮來酬謝。

三

張之洞一生交往極廣，詩集中出現的許多人都是當時的名流，如李鴻藻、潘祖蔭、彭玉麟、吴棠、王闓運、莫友芝、魏光燾、張佩綸、吴大澂、王懿榮、翁曾源、李慈銘等等。在這批朋友中，張之洞最爲敬重的是彭玉麟。

彭玉麟也是平亂的中興名臣。張氏任兩廣總督時，彭玉麟以兵部尚書的身份充當欽差大臣來兩廣督辦軍務。彭不擺名臣宿將的架子，與比他小二十餘歲的張之洞密切配合，共同取得抗法戰爭的勝利。詩集中收有張氏的有關彭的兩首詩。書生出身的彭喜畫梅，也善畫梅，他的梅畫廣遺人間，爲世所珍。王闓運送彭的挽聯中有『長增畫苑梅花價』，説的便是此事。詩人在一個寒雨霏霏的春日，得到一位友人珍藏的彭氏梅畫，畫面上的梅花『怒蕊貼幹交柯稀』，使詩人聯想到『此花倔强如此老』。彭性格剛直，嫉惡如仇，爲人又廉潔正派，因而與官場不合。此時雖挂了兵部尚書的銜，但處境頗爲冷清。詩人感嘆那株挂冷月、處嶺頭，承受苦雨淒風的梅花，頗似畫家本人：『獨枝幽艷媚空谷，石腸玉貌無人憐。』畫家『日日畫梅萬毫禿，寶刀銹澀髀生肉』，詩人認爲這種冷梅畫太使人傷感了。『君欲報此一枝春，何不畫作孤生竹』，畫幾枝孤竹同樣也可以報春呀！

如果説張氏在這一首詩裏，更多流露的是對這位中興名將寂寞處境的同情的話，經過中法戰爭的血與火的合作，張氏與彭結下了深厚的友誼，他對彭的品德、才幹更爲瞭解，也更爲敬重了。且看光緒十七年彭去世時，張氏寫的《彭剛直公挽詩》。此時正在從事新政大業的湖廣總督張之洞，充滿著崇敬、痛惜之情寫了一首五言長詩，用十八韵來贊美彭玉麟保衛祖國南疆的輝煌業績。

『天降江神尊，氣吞海若倍。軍離終成睦，民恐頓忘餒。』彭玉麟如一尊江神來到南海，以他的豪邁氣贏得了軍心民心。『雪濤擁虎門，兩角高崔嵬。孤軍壁其外，免冑不披鎧。共苦感士卒，任難服寮宷。』虎門爲廣州前敵，黄埔爲次敵。張之洞來廣州前，兩廣總督爲淮軍將領張樹聲。張樹聲命粵軍守虎門，以淮軍守黄埔。顯然，張樹聲的這種部署，是保存淮軍實力的自私行爲，故粵軍不滿。彭來廣州後，親率湘軍守前敵虎門。他自己已是六十九歲的老人了，不披甲冑，與士卒同甘共苦。彭以身作則，感動了粵軍。從此，湘淮粵軍團結起來，一致抗敵。詩人描繪著老將的風采：『譋譋紫石棱，疏髯蒼繞頰。』過度的勞累使他病倒在床，即使如此，『扶掖始下床，英姿終不改』。詩人稱贊老將剛直廉政的品格：『天鑒剛且直，戇言宥不罪。』『九州服威風，所至絶奸賄。』他爲自己原擬去衡陽看望彭未果而遺恨：『北歸未過衡，一面至今悔。』他嘆息彭去世後，國家再也没有如此頂天柱石了。流著如雨水般的眼泪，詩人痛問上蒼，爲什麽要奪去這位文武兼資、德才兼備的名臣良將：『群蒿豈任柱，雨泣問真宰。』

收在詩集中與友人交往的詩占有較大的篇幅，或登臨覽勝，或詩酒酬唱，或品書鑒器，或執手話别。這些詩情趣濃烈韵味醇厚，皆有感而發，决非應景之製。筆者以爲，這些詩中

寫得最好的當屬兩首挽詩，挽的是他的兩個境遇不太好的朋友吴子珍、吴圭庵。我們來讀一讀《挽吴子珍》。

『文瀾不取歸熙甫，兵略時同魏默深。』開頭兩句便氣勢不凡，道出詩人與逝者有共同的志趣和宏大的抱負：爲文不走歸有光一路，論兵則常與魏源相合。明代散文家歸有光的文筆過于纏綿悱惻，缺乏陽剛勁烈之氣，詩人與逝者對此捨弃不取。時值國家衰弱，外敵侵凌，湖南籍思想家魏源有鑒于此，發憤著《聖武記》《海國圖志》等書，既啓迪民智，又爲當權者加强軍事戰備提高國防力量敲起警鐘，提供藉鑒。詩人和逝者是與魏源深有默契的愛國者，故而論兵策略常常與之相合。

『聲氣牢籠羞鶴蓋，心期寥寂托牙琴。』對于攀附權貴而無實學的人，逝者羞與之爲伍，而衹將自己不合時俗的旨歸與好友傾談。『倚閭猶自衣添綫，爲位無端泪濕襟。』可憐家鄉的老母依然在爲遠方的游子走針添綫，志同道合的朋友却無甚作爲，今日衹能以痛苦的泪水作爲祭奠。『聞有賢妻堪付托，文園遺稿漫銷沉。』聽説賢惠的妻子不負囑托，將要整理遺稿免至消沉，這真是哀思中的極大安慰了。

全詩沉痛而低迴，悲傷而不絶望，是張氏雄才大略胸襟的本色體現。

張之洞早年在京師時有一個很要好的朋友，此人即清流黨中健將張佩綸。張佩綸以其學識和敢言贏得輿論界的尊敬。中法戰爭期間，張佩綸會辦福建海防，大敗潰逃，受革職處分。

獲釋後投靠李鴻章門下，并入贅爲其女婿，輿論界對之貶責較多。張佩綸晚年時，張之洞對其較爲疏遠。爲此，有人説張之洞勢利，不重交情。這是苛責了。光緒十年之前和之後的張佩綸，有兩人之判，張之洞對張佩綸的態度有所變化，不應受到指責。實際上，張之洞對張佩綸早年所表現的才識風骨一直是敬佩的。這有張佩綸死後一年，張之洞所作的《過張繩庵宅四首》爲證：『北望鄉關海氣昏，大招何日入修門。殯宫春盡棠梨謝，華屋山丘總泪痕。』『篋中百疏吐虹霓，泛宅元真世外嬉。劫後何曾銷水火，人間不信有平陂。』『憑誰江國伴潛夫，對舞髯龍入畫圖。憐汝支離經六代，此心應爲主人枯。』『廿年奇氣伏菰蘆，虎豹當關氣勢粗。知有衛公精爽在，可能示夢儆令狐。』

詩人望著老友生前的居所，心中悲慨，眼中的一草一木似乎都挂著泪珠。詩人稱贊老友存篋的那些奏疏，當年有如彩虹經天，至今仍放射光芒。詩人把這些奏疏比作王符的《潛夫論》，希望老友在天之靈依然保留昔日的氣勢，并對那些怯弱的當權者以警告。不難看出，張之洞對這個身負奇氣的老友從情感上來説是一以貫之的。

四

張之洞的門生弟子很多，詩集中出現的如樊增祥、楊鋭、梁鼎芬、袁昶、楊守敬、易實甫等人都頗有名氣。兩度主考、再任學政的張之洞，一向對士子充滿著慈愛關懷的良師情愫，詩集中收有《四生哀》《哭陳作輔》等令人感泣的詩作。

《四生哀》中的四生是張之洞做湖北學政時所識拔的高才。除這四人外還有數十個，張氏將他們招至省城漢江書院深造，希望他們能早得科第，不料四生入書院不久便去世了。這四人皆上選之才，不僅未能博得功名，且未及傳名于後世，張氏深爲惋惜，乃效法前人，作哀詩『以存其名』。其中陳作輔文章最爲醇雅，已行文至部，將于明年參加禮部試，却忽然得知已死于原籍，張之洞悲痛纍日，又特爲單獨給他作了兩首哀悼詩。『滋蘭成畝元霜酷，種柏翹柯野火摧。鍾賦搜求都不易，嗚呼吾道豈其衰。』這些悼念門生的詩，淋漓展現了張之洞的良師情懷。

出現在詩集中的張氏門生中有兩個很出名的人物，一個是楊鋭，一個是袁昶。

楊鋭作爲戊戌六君子之一，是中國近代史上受人尊敬的人物，而他又是這場政變的得力支持者張之洞最爲欣賞的學生。這真是波譎雲詭的近世政壇上頗富戲劇性的一個細節。

楊鋭，四川綿竹人，十八歲中秀才，那時四川的學臺正是張之洞。張氏在成都剛剛創辦尊經書院，楊便作爲首批學生進了該書院。常去書院督學授課的張氏十分看重這個少年新秀。他在致友人譚叔裕的信中，爲譚列舉了他『素所欣賞』的蜀中五少年，名列第一的便是楊鋭。他對這五人有個總體評價：『此五人皆美質好學，而皆少年，皆有志古學者，實蜀士一時之秀。』又在楊鋭名下特注曰：『才英邁而品清潔，不染蜀士習氣，穎悟好學，文章雅贍，史事頗熟，于經學小學皆有究心。』

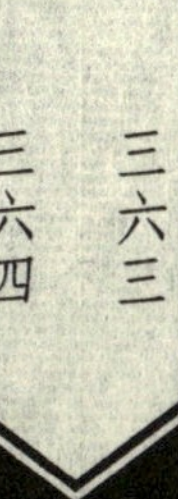

張之洞初任封疆，便把這個得意門生招至幕中。以後，楊一直隨張氏從山西到廣東到湖北。光緒十二年，楊中舉。光緒十七年，張氏推薦楊進京做內閣中書。楊在京中與張氏保持密切聯繫，甚至被人認爲是張氏在京師的代辦。楊積極投身維新變法運動，并任軍機章京。政變前夕，楊還參與了著名的《勸學篇》的寫作。楊與張氏的不尋常的關係，是很值得治近代史的學者們認真研究的，這對于更清楚地認識張之洞，甚至包括更清楚地認識維新變法運動，都有一定的幫助。我們來看看詩集中涉及張楊之間關係的一些綫索。

同治十三年，張之洞按試眉州。公餘，張氏游三蘇祠，登祠內雲嶼樓，并作了一首長篇七言歌行。詩中云：『共我登樓有衆賓，毛生楊生詩清新。范生書畫有蘇意，蜀才皆是同鄉人。』在這幾句下，詩人自注：『仁壽學生毛席豐、綿竹學生楊鋭、華陽學生范溶，皆高材生，召之從行讀書，親與講論，使研經學。』

光緒十八年九月十九日，張之洞入八旗館，有《登高賦》一首，標題中説明：『呈節庵、孝通、伯嚴、斗垣、叔嶠諸君子。』其中『叔嶠』即楊鋭。詩中稱楊鋭等人爲『群賢』。這年臘月十八日，他又邀請楊鋭等人到兩湖書院賞雪。封印次日，他又與楊鋭等人登凌霄閣賞雪景。第二年正月初二，張氏又單獨與楊登樓望餘雪。武昌屬長江之南，地氣温暖，冬天接連大雪的情况并不多見。光緒十八年冬，武昌逢多年未見之大雪。瑞雪兆豐年。作爲兩湖百姓的最高父母官，張之洞自然是以很高興的心情來迎接這場大雪的，故而他一而再、再而三地邀請身邊較爲親

近的幕僚朋友賞雪吟詩。這些日子他詩興最高，所賦最多：『世間坎窞萬里平，眼前荆棘一旦掃。楚國土宜兼南北，高稷下麥均得寶。』

爲未來的豐年而欣喜，同時，皚皚白雪所形成的壯景，也使他宦海中的無窮煩惱暫且爲之一掃，被邀與其共享這種歡樂最多的人當數楊鋭。張氏與楊關係的親密，二人相知之深，于此可見一斑。

不久，楊鋭調往北京，再接著便成爲帝后兩黨權利爭鬥失敗一方的替罪羊而弃市。張之洞的心中無疑是悲傷至極的。從楊與張氏的這種關係推論，楊與同爲戊戌蒙難的譚嗣同、康廣仁等人，無論在學理上，還是在政治主張上應是有所區别的，但對維新根之入骨的慈禧太后，情急之中失去了理智，不分青紅皂白，凡抓到的一律殺頭。楊鋭真是死得冤枉。戊戌六君子的冤案直到清王朝覆滅後纔徹底翻過來，張之洞儘管心中在痛哭，但他不能去作詩悼念這位素所欣賞的得意門生。當然，在詩集中也不可能給楊鋭以袁昶一樣的地位了。

兩年後，他的另一個高足袁昶，又因觸犯慈禧的淫威而被殺頭。袁昶是張之洞通籍後首次出任實差——浙江鄉試副主考所拔取的舉人，同時中舉的還有一個與袁昶同命運的名人許景澄。光緒二年袁中進士，出任户部主事。光緒十八年，袁外放安徽徽寧池太廣道道員。光緒二十年，張氏奉調署理兩江總督。當年的學生此時成了部屬。二十二年，張氏離寧回武昌原任，船行長江，中途過蕪湖，張氏接受學生的邀請上岸。

[illegible]之洞有任事，楊一直隨張氏從山西到廣東到湖北。光緒十二年，楊中舉。光緒十七年，張氏推薦楊進京任內閣中書，楊在京中與張氏保持密切聯繫，甚至被人認爲是張氏在京師的代辦。楊積極支持維新變法運動，并任軍機章京。還參與了著名的《勸學篇》的寫作。楊與張氏的不尋常的關係，是值得我們認真研究的。這對于更清楚地認識張之洞，甚至包括更清晰地認識維新變法，都有一定的幫助。我們來看看詩集中涉及張楊之間關係的一些詩篇。

同治十三年，張之洞放四川學政。公餘，張氏常與諸生蘇遊，登內書院樓，并作了一首長篇七言歌行。詩中云：「其年亦譜有樂賓，毛生楊生湛精微。范生書通古篆籀，顧生[illegible]人。」在這幾句下，詩人自注：「仁壽學生毛昌曹、綿竹學生楊銳、華陽學生范溶[illegible]召之傍行讀書，親與講論，使研經學。」

光緒十八年九月十九日，張之洞入八旗館，有《登高偶成》一首，詩中有[illegible]作殘。半日叔嶠諸君子。」其中「叔嶠」即楊銳。[illegible]又邀楊銳諸人到兩湖書院賞菊，張氏又與楊銳等人賦詩。[illegible]月初二，張氏又單獨與楊銳[illegible]不多見。光緒十八年冬，武昌遇到了數十年未見之大雪，張之洞自然是以很高興的心情來迎接這場大雪的。他一而再、再而三地邀請身邊較爲親

近的幕僚朋友賞雪吟詩。這一日于他說興致最高，所賦最多：「一世間快意事無過[illegible]，眼前雪景一旦篇。楚國十二宜兼南北，尚嫌不夠恒海量。」[illegible]爲本來的靈任而欣喜，同時，遺憾自己所形成的光景，也使他宦海中的無數憂辛且[illegible]之一輯。被遞與其共享這種歡樂最多的人當數楊銳。張氏與楊銳關係的密切，二人相知之深，于此可見一斑。

[illegible]不入。楊銳滯在北京，再接著便成爲帝后兩黨權力爭鬥中失敗一方的犧牲品而死于菜市。張之洞的心中無疑是悲痛至極的。從楊與張氏的這種關係推論，楊與同爲改良維新的譚嗣同、康廣仁等人，無論在學理上，還是在政治主張上都是有所區別的，但對維新派恨之入骨的慈禧太后情急之中，不分青紅皂白，凡抓到的一律殺頭。楊銳真是死得冤枉。戊戌六君子的冤死案直到清王朝覆滅後才徹底翻過來。張之洞當時心中在痛哭，但他不能去作詩來悼念這位素所欣賞的得意門生。當然，在詩集中也不可能給楊銳以袁昶一樣的[illegible]

兩年後，他的另一個高足袁昶，又因諫阻慈禧的宣戰而被殺。袁是張之洞第一次出任考差——浙江鄉試副主考所拔取的舉人。同時中舉的還有[illegible]最密。光緒二年袁中進士，出任戶部主事。光緒十八年，袁外放安徽寧池太廣道道員。光緒二十年，張氏奉諭署理兩江總督。當年的學生此時成了部屬。二十二年，張氏離寧回鄂任。張行長江，中途過蕪湖，應袁氏及學生的邀請上岸。

史稱袁昶爲官有方，在皖南『誠僚屬，抑胥吏，多所興革』。他又擴建學校，建圖書館，修築圩堤，『民歌誦之』。袁的這些政績，張氏很是欣賞。他贈詩袁：『爲政有道道有根，佳人讀書袁使君。』『東頭圖書西管庫，中有湛寂心君尊。』『南望赭山隔烟霧，北瞰于湖新波渾。』師生在一起談詩看畫觀篆刻，十分快樂：『過江名士均在座，此會此樂悦心魂。』袁請老師游黄山，張氏欣然答應：『黄山幸在君管内，來游何日常思存。』

可惜不久袁昶奉調入京，恰逢義和團事起，他因反對調義和團與外國列强交兵觸怒慈禧，和許景澄一道慘遭殺害。但很快事實證明袁的主張是對的，慈禧在蒙受巨大的耻辱後有所反省，宣布爲袁、許等人平反，賜以『忠節』的謚號。皖南百姓懷念袁的政績，遂在蕪湖建祠祀之。光緒二十八年，張氏再署江督，乘舟過蕪湖，他上岸憑吊袁祠，并寫下四首絶句。

『七國連兵徑叩頭，知君却敵補青天。千秋人痛晁家令，能爲君王策萬全。』『帝王之道，必出萬全』，此話出自晁錯的上書。晁錯爲了朝廷的萬全，主張削弱諸侯國，結果反被景帝處死。袁昶爲了國家的長遠利益，反對與列國構兵，同樣死于非命。前後兩忠臣，結局同爲不幸，實在令人扼腕痛惜。

『民言吴守治無雙，士道文翁教此邦。白叟青衿各私祭，年年萬泪咽中江。』袁昶在皖南六年，興文辦學，贏得了士人的廣泛贊譽。殉難之日，無論老幼都望北私祭。從此之後，年年這一天，中江書院裏的袁祠都將灑下士民懷念的泪水。

『鳧雁江湖老不材，百年世事不勝哀。蓋公堂下青青樹，曾見傳杯讀畫來。』年過花甲的詩人，面對著國家的多灾多難和朝廷的衰疲不振，心裏充塞著説不盡的悲哀。今日重來道署，當年傳杯讀畫的快樂已永遠不會再有了。

『江西魔派不堪吟，北宋清奇是雅音。雙井半山君一手，傷哉斜日廣陵琴。』袁昶不但深具治國之才，且詩文也稱妙一時。他的詩風清奇，承北宋餘脉，而不墜江西詩派冷澀拗硬的魔境，這一點也與張氏投合。可惜人亡詩絶，猶如《廣陵散》般不復有了！

四首憑吊詩沉鬱蒼邁，情致深長，聯繫到張之洞堅決反對構釁列强，并不惜冒天下之大不韙與劉坤一等人實行『東南互保』，可知張氏這四首詩吊的不僅僅是自己的優秀門生，更是在緬懷一個與自己并肩戰鬥的密友，一個有著遠見卓識的國家幹臣，一個冤枉慘死的忠貞之士。

張之洞論詩主『清切』，錢基博評張氏詩『用字必質實』，『寫景不虚造，叙事無溢辭』。可見張氏于詩講究的是實在貼切。張氏存世的四百六十餘首詩，構築了張氏情感世界中的一個重要部分。張氏藉著這些詩歌，或抒發對親朋好友的懷念，或鋪陳登高臨遠的志趣，或咏嘆一時一事的意緒，或寄寓對世事人生的感悟。總之，他在這裏宣泄自己的情感，坦露自己的心曲，展現的是一種實實在在、幾乎没有打扮包裝的真情至性。我們在這裏看到了張之洞作爲常人：文人、士子、朋友、老師的一面，看到了一個活生生的張南皮，一個血肉豐滿的張文襄公。

張文襄公。

作爲常人，文人，士子，朋友，父親的一面，看到了一個活生生的張南皮，一個血肉豐滿的

的心曲。展現的是一種實實在在，幾乎沒有打扮包裝的真情至性。我們在這裏看到了張之洞

嘆一時一事的章奏，或寄寓對世事人生的感慨。他往往直抒自己的情感，也樂於自己

個重要部分。張氏詩著言志議政，或抒發對朋友的懷念，或論歷史發高論的志趣，或

可見張氏于詩講究的是實在貼切。張氏存世的四百六十餘首詩，體現了張氏情感世界中的一

張之洞論詩主「清切」，錢基博評其詩「用字必質實」，「寫景不虛造，敘事無溢辭」。

論。作一個與自己并肩戰鬥的密友之死，一個有卓識遠見的國家棟臣，一個中堅之十

議與劉坤一等人實行「東南互保」，而如張氏這類西首詩品的不僅僅是自己的宗門主，更是在

四首詩品評說變遷，信觀深表。聯繫到張之洞堅決反對維新變法，并不惜冒天下之大不

的實證，這一點也與張氏相合。可惜人亡詩卒，遍如《廣陵散》從此不復存在了！

深具治國之才，且詩文也稱好詩。他的詩風宣奇，承北宋蘇黃，而不墜江西詩派余習，頗

「江西魔派不奇詩，北宋清奇是雅音。雙井半山君一手，傳語紛紛日廣漫吾」

當年嘉樹清畫的快樂已永遠不會再有了。

的詩人，而是當國家的多災多難和宦途的坎坷所使，心東方策詩不盡的悲哀。今日重來道署，看

「曇華江湖老不材，百年世事不勝哀。盡公堂下青青樹，曾見傳杯嘯畫來。」年過花甲

今日祭燈

卷二　時勢遣懷本　三六八

清　張之洞撰　三六七

中江書院舊時荒，樹碑讓下士民讓念的沮水。

與文靖學，高揮了十士人的廣泛贊譽。有一年重陽之日，無論老幼都登北京去家。後來之政，卒年自宜一天，

「民吾吳宇治無譽」，主道文治教化世界。白也青衿各書札，卒年在廣州前中江「書院在宿南六年，

實在令人痛惜痛苦。

袁昶爲了國家的長遠利益，反對與列國開戰宣，同族統死于非命。前後兩忠臣，結局同樣不幸，

必出誓全于，此詩出自張氏寫給京中的某位主張朝野和國，結果反被逮帝旁處死。

「七國連兵到中原，海甸有如夢入天。千秋人道是家令，能隔其王乘萬全。」「帝王之道，

光緒二十八年，張氏再督江鄂，乘舟過黃鶴樓，他十分思念袁昶，并寫下四首絕句。

宣布爲袁、許等人平反，賜以「忠節」的謚號，宗旨也在懷念中追憶，遂作組詩在心八。

和許景澄一道被處死。但後來事實證明袁的主張是對的。後來清廷在巨大的壓力下反省，

可惜不久袁昶被奏請入京，因違背義和團事件，他因反對利用義和團與列強交兵而慘遭陷害，

袁昶爲游黃山，張氏依依告別：「黃山寺在皆曾內，來游何日當思存。」

新政權。「師生在一起談論時事，十分快樂，」「過江名士巧在座，此會此樂說不盡。」

往人讀書袁府中。「東西圖書西官庫，中有道：心相贊。」「下南望諸山隔，煙霧北的于湖

修築樓堤，「民歌讚之」。袁的這些政績，張氏很是欣賞。「遙嚮諸袁，一麟山政有道有根」

史稱袁知高官有方，任蕪湖道時「政清令簡」，興利除弊，多所興革。「道又擴建學校，建圖書館」

一個率真的熱血男兒

二十年前，當我在寫作長篇歷史小説《楊度》的時候，常常會有人問我：你爲什麽要寫楊度？他的知名度要比曾國藩低得多，况且他一生多變，又是復辟帝制的頭號謀士，有多少人可以寫，爲什麽要寫他？世人多不知道，其實，作爲一個文學作品的主人公，楊度是很值得一寫的人。

首先，他是一個事功上沒有大成就的用世士人。這點就極具代表性。中國的士人，從小在儒家積極入世的學理熏陶下，幾乎人人都想治國平天下，但像曾國藩、張之洞那樣最終能治國平天下的人又有幾個？絶大多數都是壯志未酬身先死。這些人如何生存？他們的心路歷程如何？歷史學家們少有研究，歷史小説家不能不去關注。其次，正因爲楊度多變，纔最具時代的典型性。自從鴉片戰爭驚醒清王朝妄自尊大的懵懂夢後，中國的社會精英們便開始探尋中華民族的復興之路。這個探索過程是漫長而曲折的，受挫、失敗、沮喪乃至流血犧牲，一直與這個過程相伴隨。多變與複雜，可以説是這個時代最主要的特徵。楊度從維新變法到君主立憲到接受社會主義，由改良派到佛門居士到革命者，其一生的多變與複雜是明顯的。而這些，恰恰就是那個風雲際會的時代所帶給他的。楊度與他生活的時代高度吻合。楊度也就成了那個時代的典型代表。有這兩點，他就做了我的歷史長篇中的主人公，至于事功的成

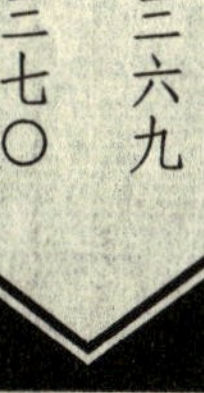

與不成則并不太重要。除此之外，作爲作家，我更看重的是楊度的人格魅力。楊度是一個很具人格魅力的人。在我看來，他的這種人格魅力著重表現在兩個方面。

一是血性。作爲湖湘士人，楊度的血性首先表現在熱心國事上。楊度是一個真心實意的愛國者。

早在上個世紀八十年代初，我在編輯朱德裳《三十年聞見録》一書時，有幸看到一九〇三年二月朱德裳赴日本前夕的一段日記。日記裏説，他們一群留學生將要出國到日本去，在長沙聚會時請楊度來給他們講話。楊度先一年五月至十月，在日本留學近半年。楊度應邀在歡送會作了一個以『新吾中國，救吾中國』爲主題的演講。朱氏日記上記載，講者慷慨激昂，聽者熱血沸騰。當年，二十八九歲的楊度便以一個熱血愛國青年走進我的腦中。

後來楊度再次赴日，尋求救國方略，活躍于留日學生群體中，楊度的愛國救國激情最精彩的記録，自然是他在日本所寫的《湖南少年歌》。正如梁啓超的按語中所説的『欲見純粹之湖南人，請視楊皙子』，《湖南少年歌》不僅是愛國杰作，也是研究近代湖南人的難得的史詩性作品，從這部史詩中可以破譯許多湖湘文化的密碼，比如，血性、尚武、勇悍、團結、遠見等等。

楊度是一個典型的湖湘漢子，他的積極的用世情懷，無疑出自于湖湘士人的經世致用的基因。你看他年過半百老病日侵漂泊零落做了好幾年頭陀禪師後寫的那首七律：『茶鐺藥臼

一個率真的熱血男兒

二十年前，當我在寫作長篇歷史小說《楊度》的時候，常常會有人問我：你為什麼要寫楊度？他的知名度並不高，況且他一生多變，又是擁護帝制的頭號罪魁，古今多少人可以寫，為什麼要寫他？世人多不知道，其實，作為一個文學作品的主人公，楊度是很值得一寫的人。

首先，他是一個事功上沒有大成就的用世士人。這點頗具代表性。中國的士人，從小在儒家經典的薰陶下，幾乎人人都立志治國平天下，但像曾國藩、左宗棠那樣最終能治國平天下的人又有幾個？絕大多數都是壯志未酬身先死……這些人如何走完自己的一生？他們的心路歷程如何？歷史學家們少有研究，歷史小說家不能不去關注。其次，正因為楊度多變，遂具時代的典型性。自從鴉片戰爭轟醒清王朝妄自尊大的黃粱夢後，中國的社會精英們便開始探尋中華民族的復興之路。這個探索過程是漫長而曲折的。受挫、失敗、沮喪乃至流血犧牲，一直與這個過程相伴隨。多變與複雜，可以說是這個時代最主要的特徵。楊度從維新變法到君主立憲到接受社會主義，由改良派到佛門居士到革命者，其一生的多變與複雜恰是明顯的。而這些，恰恰就是那個風雲際會的時代所帶給他的。楊度與他生活的時代密切吻合，楊度也就成了那個時代的典型代表。有這兩點，他就做了我的歷史長篇中的主人公。至於事功的成

今月推薦

唐浩明讀史隨筆集　三六七

第二輯　時勢造英才　三七〇

與不成則並不太重要。除此之外，作為作家，我更看重的是楊度的人格魅力。楊度是一個很具人格魅力的人。在我看來，他的這種人格魅力着重表現在兩個方面：

一是血性。作為湖湘士人，楊度的血性首先表現在熱心國事上。楊度是一個真心實意的愛國者。

早在上個世紀八十年代初，我在編輯宋教仁《二十年間見聞錄》一書時，看到一九〇三年三月宋教仁在日本的一段日記。日記裏說，他們一群留學生將出國到日本去，住長沙聚會時請楊度來給他們講話。楊度先一年五月至十月在日本留學近半年。楊度應邀在救亡會上作了一個以「新吾中國」、「救吾中國」為主題的演講。宋氏日記上記載，講者慷慨激昂，聽者熱血沸騰。當年，二十八九歲的楊度便以一個熱血愛國青年走進我的腦中。

後來楊度再次赴日，尋求救國方略。在關于留日學生評議中，楊度的愛國救國激情最是精彩的記錄，自然是他在日本所寫的《湖南少年歌》。正如梁啓超的按語中所說的「欲見[illegible]之湖南人，讀楊皙子「」。《湖南少年歌》不僅是愛國杰作，也是研究近代湖南人的史詩性作品，從這部史詩中可以讀到許多湖湘文化的密碼：比如，血性，尚武，勇悍，團結，遠見等等。

楊度是一個典型的湖湘士子，他的積極的用世情懷，無疑出自於湖湘士人的經世致用的基因：休言他年過半百老病日侵，淪落做了好幾年項城帝師後寫的那首七律：「一茶謝樂日

伴孤身，世變蒼茫白髮新。市井有誰知國士，江湖容汝作詩人。胸中兵甲連霄斗，眼底干戈接塞塵。尚擬一揮籌運筆，書生襟抱本無垠。』再過五年，他就冷冷清清地辭世了。就這樣一個既無力量又無影響的書生，在他潦倒的日子裏還要自比國士，還想一展無垠襟抱。此中激情，我們祇能從湖湘文化裏去尋找答案。一個人一生爲自己的理想信念奮鬥不止，百折不挫，最後成功了，固然值得稱贊，即便不成功，他的人格也值得尊敬。

楊度人格魅力的另一個表現是率真。楊度的率真，貫穿他的政治活動的全過程。他做什麽事，都要公之于衆，往往事情還未做，便引來全社會的關注。而在楊度那裏，又往往是事情做不成，結果祇爲社會留下一個話柄，提供一則茶餘飯後的談資而已。

一個有心從政的人，如此胸無城府，如此不加設防，這是楊度的悲哀。所以我常說楊度不是政治家，他祇能稱之爲政治活動家。但在一個作家看來，這恰恰是楊度的可愛之處。你看他在東京與孫中山就革命與改良，彼此辯論三天三夜，誰也説服不了誰。最後，楊度站起來對孫中山說：『我們不争辯了，各自幹去，以後我成功了，你支持我，你成功了我支持你。』後來楊度果然放弃自己的政見轉而支持孫中山，令孫中山感動地說：『皙子可人。』可人者，可愛的人也。

最爲有趣的是，籌安事敗，楊度遭舉世唾駡，變得一無所有，他心愛的紅粉知己不能長相守了，他要與她告辭。臨別時，楊度寫了八首凄美哀怨的《小紅曲》。其中一首這樣寫道：

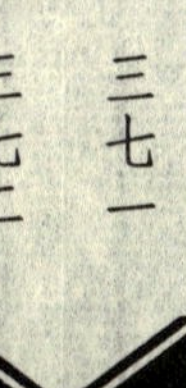

『家國蒼茫剩此身，那堪紅粉更移情。可憐綺户嬌啼後，牽向筵前贈與人。』

自己已是這個樣子了，還要效法北宋宰相范成大，將所愛的女人慷慨贈人，還要打腫臉充胖子去追慕風雅。這種窮困到極點時的自嘲自解，也就具備了審美價值，因而顯得率真與可愛。

僅此兩點，楊度就是一個有趣味的人，一個值得小説家去大寫特寫的人。

當然，作爲一個在歷史上留下過痕迹的近代風雲人物，楊度的不少觀點與思考，仍值得歷史學者們注意。比如，楊度一生中做的最大一件事是辦籌安會。因爲籌安會，楊度曾長期遭受指責。但楊度對此曾説過，他不是復辟帝制，而是要建君主立憲制。對于這番話，人們多不去理睬，認爲那是楊度的自我辯解。其實，帝制與君主立憲制，表面看起來差不多，實質是有很大不同的。在我看來，楊度是個憲政學家，他曾經花費極大的心血研究過世界各國的憲政。他說的話應是實話，并非祇是爲了洗脱自己而已。既然世界上有成功的君主立憲國家，楊度想在中國嘗試下，作爲一種探索，也未嘗不可。

揚度想在中國嘗試下，作為一種探索，也未嘗不可。

的憲政。他說的話確是實話，并非只是為了說明自己而已。雖然世界上有成功的君主立憲國家，實是有很大不同的。在我看來，楊度是個憲政學家，他曾經花費極大的心血研究過世界各國多不去理睬，認為那是楊度的自我辯解。其實，帝制與君主立憲制，表面看起來差不多，實道受指責。但楊度對此曾說過：他不是贊成帝制，而是要建君主立憲制。對于這番話，人們歷史學者們注意。比如，楊度一生中做的最大一件事是籌安會，因為籌安會，楊度曾長期

當然，作為一個在歷史上留下過痕迹的近代風雲人物，楊度的不少觀點與思考，仍值得

僅此兩點，楊度就是一個有趣味的人，一個值得小說家去大寫特寫的人。

并于去世前秘密加入共產黨。這種跨越兩個時代的自由與率真，也就具備了審美價值，因而顯得率真與可愛。

自己已是若干年了，還要效法北宋的蘇軾成大，并所要的文人雅趣的人，還要打個滑稽

「家國蒼茫剩此身，那堪回首更傷神。可憐六載飄零後，幸有英雄贈與人。」

柯子了。他要與姚吉蒂，臨別時，楊度寫了八首表達柔美衷思的《小綠曲》。其中一首這樣寫道：

最爲有趣的是，籌安事敗，楊度遭受通緝，變得一無所有，他心愛的姬妾知道自己不能長可愛的人也。

後來楊度果然放棄自己的政見轉而支持孫中山，今孫中山感動地說：「皙子可人。」可人者，來對孫中山說：「我們不爭了，各自努力，以後我成功了，你支持我，你成功了，我支持你。」言，他在東京與孫中山就革命與改良，從此辯論三天三夜，誰也說服不了誰。最後，楊度站起不是政治家，他所能稱之爲政治活動家。但在一個作家看來，這恰恰是楊度的可愛之處。楊

一個有心從政的人，如此優柔寡斷，如此不諳世故，這是楊度的悲哀。所以我常說楊度情做不成，結果落爲社會的一個話柄，是供一則茶餘飯後的談資而已。

敗事，都要公之于衆，在事情還未做，便引來全社會的關注，而在楊度那裏，又往往是事

楊度人格魅力的另一個表現是率真。楊度的率真，貫穿他的政治活動的全過程。他做什最後成功了，固然值得稱贊，即便不成功，他的人格也值得尊敬。

賞贊，我們不能從政治的角度去評判楊度。一個人一生爲自己的理想信念奮鬥不止，百折不撓，一個既無力量又無影響的書生。在他遭遇的日子裏，還要自比國士，還想一展抱負。此中揚善罷。尚有一種高遠華，書生終抱本無成。一再過五年，他就會陷入清貧然後世了，他就這樣作爲身世變遷着自說話，市井有誰知國士，江湖容易作詩人。

卷三　小樓碎片

帝王之學：封建末世的背時學問——歷史小説創作隨感之一

歷時兩千餘年的中國封建社會，在無數才智之士的共同努力下造就了一門學問。這門學問以最高層政治爲研究對象，它的容量很大，其中最爲重要的內容有帝王如何駕馭臣下，權臣如何挾帝王以令群僚，野心家如何窺伺方嚮，選擇有利時機，網羅親信，籠絡人心，從帝王手裏奪取最高權力，自己做九五之尊等等。這門學問通常被稱作帝王之學，也叫作帝王術，是一門土生土長的中國學問。這門學問儘管有點深奧莫測，而它的核心不外乎一是獨裁，二是權術，與我們通常所認同的政治應當民主公議，光明磊落，能够做得出的事也應該説得出，能公之于世，經得起老百姓檢驗的觀念相差很遠，甚至是完全背道而馳的。

然而，在中國封建社會裏，歷朝歷代都有不少用世之心强烈的讀書人，以極大的心血鑽研這門學問。他們都想在仕途上尋找一條捷徑，試圖以最少的精力，最快的速度獲取最大的成功。所謂朝爲田舍郎，暮登天子堂，所謂布衣卿相，書生公侯，便是這些人追求的目標。醉心于此中的人，固然不乏大成功者，但也有遭遇慘禍的，不僅自己丢掉腦袋，還要弄得滿門抄斬，甚至株連九族，更多的則是一無所獲，一生落魄潦倒。

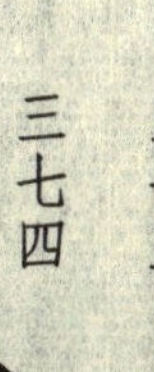

這門學問，在漫長的中國封建社會裏，曾經是一門顯學，但是到了封建末世，它却成了與時背行的學問了。我在創作《曾國藩》時，開始注意到這個現象，後來在創作《楊度》時，更把它作爲貫串全書的一根鏈條。

《曾國藩》中有一個并不太重要的人物，書中多次寫到他與曾國藩的交往。此人名叫王闓運。許多讀者對我説，在讀《曾國藩》《楊度》之前，根本不知道王闓運這個人。其實，此人在清末民初是一個大學問家、大教育家、大詩人兼大名士。他去世離現在尚衹有一百年，人們就忘記了他，這雖然有點令人傷感，但也正説明了歷史淘汰的嚴格無情，無須過多地感慨。

傳説王闓運有過三次勸曾國藩做非分之想的企圖。

第一次是在曾國藩剛剛練成湘軍，正準備出省打大仗的時候，二十歲的東洲書院學生王闓運，悄悄地對曾國藩講了一通『秦無道，遂有各路諸侯逐鹿中原。來日鹿死誰手，尚未可預料，願明公留意』的話，讓曾國藩聽了心跳血涌。

第二次，咸豐十年夏天，王闓運從北京南下，繞道來到安徽祁門。這時，剛就任兩江總督的曾國藩將湘軍老營駐扎于此。王闓運在祁門住了兩個多月，藉機再度勸説曾氏行蒯通之計。曾國藩未作回應，衹是以茶代墨，在桌面上連書『狂妄狂妄』。王闓運看到這行字後，衹得打消念頭。

第三次，南京打下後，時在湖南教書的王闓運想又一次勸曾國藩仗此軍威率兵北上，替天行道，走到半路，聽到曾國藩大裁湘軍，知道他决無此意圖，遂徹底失望，返舟回湘，連曾國藩的面也不見了。

王闓運這三次的行動，顯然是在勸曾國藩實施帝王之學，即私蓄力量，把握時機，從帝王的手裏奪過江山，自己做帝王。

遺憾的是，王闓運將胸中的學問錯誤地兜售了，曾國藩并不是他的帝王之學的買主。這首先是因爲曾國藩所走的路子，完全不與王闓運同轍。他奉行的是孔孟之學，要通過堂堂正正的大道來建功立業，拜相封侯。他是一個虔誠的理學信徒，他的人生榜樣是聖賢，而不是豪杰。他想做的是世間楷模、『三立』完人，而不是改朝换代的開國之君。其次，曾國藩遠比年輕的王闓運老到圓熟。他深知世上的事總是説的容易做的難。他是局中人，更知道若要走争奪最高權力的道路，前途則充滿千難萬險，許多看似有利的條件都將轉化爲不利因素，最後的結果多半是慘遭失敗，辛辛苦苦所積纍的名望地位，不僅頃刻化爲烏有，還要殃及整個湘軍集團和自己的家族子孫。第三，曾國藩是一個地地道道的文人，性格上又屬于那種瞻前顧後、一步三思的類型，加之後來年老多病，他根本就没有打江山的膽量和魄力。王闓運向他推銷帝王之學，碰壁是再自然不過的事了。

但王闓運對此學問醉迷甚深，并不因遭到曾國藩的否定而死心。他三十餘歲便結束雲游海内奔走權貴的生涯，設帳授徒，著書立説，然心中深處眷戀的仍是帝王學。他一面刻苦鑽研，將自己多年來的所思所獲記録下來，一面留心在他的衆多弟子中物色傳人，以繼承和施行他自以爲已探得驪珠的絶學。終于，他在花甲之後得遇一生中最爲滿意的學生，此人便是《楊度》中的主人公楊度。

二十一歲剛參加過公車上書落第回湘的楊度，此時正是年輕氣盛，血氣方剛，滿腹詩書，壯志凌雲，却又毫無一點社會閲歷，一旦聽到王闓運談起帝王之學來，便立刻熱血沸騰，心嚮神往。當王闓運考驗他的心志，説帝王之學雖是大學問，却也風險太大，究竟不若功名之學的穩當、詩文之學的清高時，他竟然毫不猶豫地回答：若能成就一番大事業，雖不得善終，亦心甘情願。

從此，楊度便投在王闓運的門下，全身心地迷于帝王學的研究和實施。這一迷，便整整迷了三十年，幾乎迷去他一生的全部黄金歲月。

他熱心康梁的維新變法，又想通過經濟特科進入仕途，然而二者都告失敗。他東渡日本學憲政，試圖以君主立憲來致中國于富强，并欲藉此做中國的伊藤博文。然而，他所想輔佐的帝王，自己的位子都保不住了，連同兩千年的帝王制度一道被推翻。但他還不甘休，轉而投靠袁世凱，依附袁克定，企圖通過袁氏父子爲帝王學的實施做最後一搏。而這一搏，失敗得更爲慘痛。倘若後來不是轉嚮革命，楊度這一生怕就要永遠釘死在帝制餘孽恥辱柱上，任誰有回天之力，

也不可能將他的形象翻過來。

但奇怪的是，信奉了一輩子帝王學，并將它的真諦傳授給楊度的王闓運，却對學生所選擇的非常之人，和所從事的復辟帝制之業并不熱心。他雖然應袁世凱之邀，來北京就任中華民國的第一任國史館長，却又將中華民國比之爲瓦崗寨、梁山泊，説什麽『瓦崗寨、梁山泊也值得修史麽』的怪話。他治下的國史館衹拿薪水談詩文，正務一件不幹。他得知楊度主持籌安會，將要擁戴袁世凱登基時，便藉故離開北京回湖南，并極爲認真地叮囑自己的高足：『早日奉母南歸，我在湘綺樓爲你補上老莊之學。』

封建末世中國最著名的熱衷帝王學的大名士，爲何在生命行將結束的時候，毅然放弃了自己一生的信仰，由帝王走向老莊，由入世轉爲出世？這實在是一個值得深爲思考的有趣課題，也是我在寫作《楊度》時所十分感興趣的一件事。

我想王闓運之所以如此，一則是他不滿意袁世凱，認定袁世凱非命世之主，不值得輔佐，一則也是出于王闓運的名士性格。王闓運從年輕時起，便一方面孜孜以求功業，一方面又不拘小節，風流率性。他是一個很追求全真葆性的人。故而，當他面臨著一片混亂的政局，和一個剛愎自用的政客時，再加以自己已到了實在不能辦事的八十三四高齡，于是便采取游戲人生的方式，來對待他所擔負的貌似莊重的職務，最後乾脆以一走來跳出是非圈，全身遠禍。

然而楊度却没有乃師的明智瀟灑，他被虚幻的新朝宰相所誘惑，終于在泥坑裏越陷越深，

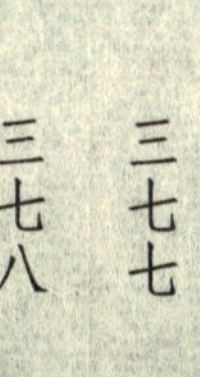

最後成了一名舉國通緝的復辟首犯。

楊度迷誤，固不待論，即使明智如王闓運，也没有看出要害來。其實，帝王之學不能行時的關鍵之所在，是因爲時代不同了。

晚清的時局，李鴻章有一句十分精彩的話説得最爲透徹：此乃三千年來一大變局。這話説的是自有中國文明史以來，這是最大的一次變故。導致這一變故發生的原因，是國門的被强行打開。

公元一八四〇年，以關天培血濺虎門炮臺、林則徐充軍伊犁爲標志，苦難動亂的中國近代歷史拉開了帷幕。人們在恐懾于西方堅船利炮的同時，也在思考：爲何他們會有如此强大的國力？隨著流入中國的洋人洋書，和出國考察的大清臣民的增多，有識之士慢慢發現，西方列强在治理國家方面有一套迥异于中國的民主制度。中國的先進分子不僅從器物層面上感受到了西方的先進，更從政制層面上感受到了西方的先進。

早在光緒初年，中國有史以來派往西方的第一個大使郭嵩燾，便在他的日記裏指出：西洋之所以享國長久，君民兼主國政故也。并指出這種君民兼主國政的主要特點便是體現在議院議政上。光緒十年，擔負國家要職的前淮軍首領張樹聲，在給朝廷的遺摺中也明明白白地寫著：西人立國之本體，在育才于學堂，議政于議院。稍後，鄭觀應在風靡全國的《盛世危言》中，也提出中國應當仿效西方，設置議院。此後，更有許多人撰文著書，大談西方的民主和議院。

也不可能將他的形象描繪過來。

但奇怪的是，信奉了一輩子帝王學，並將它的真諦傳授給學生的王闓運，對學生所推舉的非常之人所希冀的帝王之業並不熱心。他雖然應袁世凱之邀，來北京就任中華民國的第一任國史館長，時又兼中華民國參政院參政，[illegible]他治下的國史館卻無所作爲，王闓運一字未修。[illegible]楊度積極籌劃帝制時，他卻離開北京回湖南，[illegible]。」

這位末世中國最著名的帝王之學的大名士，爲何在生命行將結束的時候，竟然放棄了自己一生的信仰，由帝王走向共和，由入世轉爲出世，這實在是一個值得研究思想者的有趣話題，也是我在寫作《楊度》時所十分感興趣的一件事。

我想王闓運之所以如此，一則是他不滿意袁世凱，認定袁世凱非命世之主，不值得輔佐；二則也是出于王闓運的名士性格。王闓運素來率性好諧，一方面好以求功業，一方面又不拘小節，周旋其中。他是一個既講求全身保性的人，故而，當他面臨著一片混亂的政局和一個剛愎自用的政客時，再加以自己已到了實在不能辦事的八十三四高齡，于是便采取游戲人生的方式，來維持他所擔負的政治職務。最後竟選擇以一走來跳出是非圈，全身遠禍。

然而歷史卻沒有[illegible]。

[illegible]成了一名[illegible]。

[illegible]，固不待論，即使明智如王闓運，也沒有看出要害來。其實，帝王之學不能行世的關鍵之所在，是因爲時代不同了。

晚清的時局，李鴻章有一句十分精彩的話說得最爲透徹：此乃三千年來一大變局。這話說的是自有中國文明史以來，這是最大的一次變故。導致這一變故發生的原因，是國門的被強行打開。

公元一八四〇年，以關天培血戰虎門炮臺、林則徐充軍伊犁爲標志，古老腐朽的中國近代被打開了國門。人們在恐懼于西方堅船利炮的同時，也在思考：爲何他們會有如此強大的國力？隨著流入中國的洋人洋書、派出國考察的大員見聞的增多，有識之士更發現，西方列強在治理國家方面有一套遠勝于中國的民主制度。中國的先進分子不僅從器物層面上感受到了西方的先進，更從制度層面上感受到了西方的先進。

早在光緒初年，中國有史以來派往西方的第一個大使郭嵩燾，便在他的日記裡盛讚西洋之所以卓越于人，皆以民主國政故也。並指出這種民主國政的主要特點便是實行議院議政事。光緒十年，擔負國家要職的前兩廣總督張樹聲，在給朝廷的遺摺中也明明白白地宣稱：西人立國之本體，在育才于學堂，議政于議院。稍後，鄭觀應在風靡全國的《盛世危言》中，也提出中國應當仿效西方，設置議院。此後，更有許多人撰文著書，大談西方的民主和議院。

這些議論，對中國的官場士林影響極大。

有關民主和議院的理論，在本質上是與帝王之學的獨裁、權術等根本對立的。西方列强以實力，證明了他們對政治制度選擇的正確，也大大開啓了中國的心智，民主議政開始贏得人心，獨裁權術自然而然會遭厭弃。

到了後來，孫中山、黄興等人建立政黨，倡導革命，武昌起義一夜之間成功，全國各地相繼獨立，中央朝廷很快衆叛親離，大清帝國迅速土崩瓦解，再清楚不過地説明了專制不得人心、民主纔是人間正道的真理。

所以，當籌安會極力想拉進梁啓超時，這個不惜『以今日之梁啓超攻昨日之梁啓超』的維新派領袖，在報上公開發表聲明，對復辟帝制一事，哪怕四萬萬人中有三萬萬九千九百九十萬九千九百九十九人贊成，他也斷不能贊成。梁啓超當然知道，他决不是以一人敵通國，而是會得到絶大多數人的支持。梁啓超不愧是一個識時務的俊杰，他清醒地看出了時代的潮流、中國前進的趨勢，深知帝制不得人心，帝王之學也再無用武之地了。

遺憾的是，智商也同樣極高的王闓運、楊度却没有看出這個時代的巨變。與天作對，與時作對，這便是他們身懷絶學而不能大獲市利的根本原因。從這個角度來看，王闓運、楊度正是可笑地扮演了那個時代的滑稽丑角。

晚清大吏的文人情結——歷史小説創作隨感 之二

我在讀《能静居日記》時，被其中的一段文字所强烈打動：『下午，滌師復來久談，自言：「初服官京師，與諸名士游接，時梅伯言以古文、何子貞以學問書法皆負重名，吾時時察其造詣，心獨不肯下之。顧自視無所蓄積，思多讀書，以爲异日若輩不足相伯仲。無何，學未成而官已達，從此與簿書爲緣，素植不講。比咸豐以後，奉命討賊，馳驅戎馬，益不暇，今日復審視梅伯言之文，反覺有過人處。往者之見，客氣多耳。然使我有暇讀書，以視數子，或不多讓。」余鼓掌狂笑曰：「人之性度，不可測識，世有薄天子而好爲臣下之稱號者，漢之富平侯、明之鎮國公是也。公事業凌轢千古，唐宋以下幾無其倫，顧欲與儒生下竟呫畢之業，非是類耶？」』

這部日記的作者趙烈文是曾國藩的心腹幕僚。此人不僅爲曾氏草擬機密文件，還可以進入曾氏卧室，更爲少見的是，他曾經與曾氏有過許多次推心置腹的談話。其談話的内容上至議論慈禧、恭王的短處，推測大清王朝的氣數，下至揭露湘軍集團的腐敗。應該説，趙烈文是爲數極少的進入了曾氏私人空間的幕僚。他的這段記載，讓我們既略窺曾氏的音容笑貌，又看到曾氏的另一種緒懷，那就是文人情結。

這種大官員身上的文人情結，不僅體現在曾國藩身上，也體現在當時許多人的身上。如翁同龢身爲帝師協辦大學士，却酷愛書法；張之萬身爲總督大學士，却醉心丹青；潘祖蔭身這些議論，對中國的官場士林影響極大。有關民主和議院的理論，在本質上是與帝王之學根本對立的。西方列強以實力，證明了他們對政治制度選擇的正確，也大大開啟了中國的心智。民主議政開始贏得人心，獨裁專制自然而然會遭到厭棄。到了後來，孫中山、黃興等人建立政黨，倡導革命，武昌起義一夜之間成功，全國各地相繼獨立，中央朝廷眾叛親離，大清帝國迅速土崩瓦解。再清楚不過地說明了專制不得人心，民主才是人間正道的真理。

所以，當籌安會極力鼓吹恢復帝制時，這個不惜以今日之我與昨日之我挑戰的維新派領袖，在報上公開發表文章，對復辟帝制一事，聲明四萬萬人中有三萬萬九千九百九十九萬九千九百九十九人贊成，他也斷不能贊成。他決不是以一人敵一國，而是會得到絕大多數人的支持。梁啟超不愧是一個識時務的俊杰，他清醒地看出了時代的潮流，中國前進的趨勢，深知帝制不得人心，帝王之學也再無用武之地了。

遺憾的是，曾經也同樣懷抱高遠的王闓運、楊度卻沒有看出這個時代的巨變。與天作對，與時作對，這便是他們身懷絕學而不能大獲市利的根本原因。從這個角度來看，王闓運、楊度正是可笑地扮演了那個時代的悲劇主角。

晚清大吏的文人情結——歷史小說創作隨感之二

我在讀《能靜居日記》時，被其中的一段文字所強烈打動。[illegible]

這部日記的作者趙烈文是曾國藩的心腹幕僚，此人不僅是曾氏幕府[illegible]，還可以入曾氏的密室。更為少見的是，他曾經與曾氏有過許多次推心置腹的談話，其談話的內容上至議論蒼生、恭王的[illegible]，下至湘軍將帥的[illegible]，讀之令人震驚。[illegible]曾氏私人空間的幕僚。他的這段記載，讓我們[illegible]，又看到曾氏的另一種情懷，那就是文人情結。

這種大官員身上的文人情結，不僅體現在曾國藩身上，也體現在當時許多人的身上。如同治帝師翁同龢大學士，[illegible]

爲刑部尚書，却精于鑒賞古董；彭玉麟身爲水師統領兵部尚書，却立誓畫萬幅梅花，題萬首咏梅詩；唐鑒官居太常寺卿，却潛心撰寫《畿輔水利志》；胡林翼官居湖北巡撫，却要在奏摺寫作上與别人争個高下；就連一向被人稱爲不讀書的袁世凱，在他隱居洹上時，也居然寫了不少詩，并彙編成一册《圭塘酬唱集》。可以説，這種文人情結，在當時的文職大官員中普遍存在著。

這種現象，促使我在創作長篇歷史小説的時候，對當時的官場文化、官場風氣有了更深的認識。同時，也幫助我更爲立體地展示筆下諸多晚清大吏的形象。我在正面地濃墨重彩地描寫他們的政治、軍事、國務活動的時候，十分注重寫出他們身上的這種文人情結。衹要遇到適當的時候，小説總是儘可能地引出他們的文學作品，讓讀者看出他們在這方面的才情，感受到他們厚實的文人底氣。比如《曾國藩》中，在曾氏事業處于低谷、心緒煩亂之際，又逢好友郭嵩燾要離開軍營回京師翰林院，他的心情愈加蒼凉。小説寫到這裏時，安排曾氏爲郭的送行禮物是他的五首七律。這五首七律展現了曾氏的詩人實力，其中尤以第五首寫得更爲沉鬱，詩中『大冶最憎金踴躍，哪容世界有奇才』兩句，更是驚心動魄，字字千鈞，一派牢騷詩人的模樣出現在讀者面前。

曾氏愛寫詩，而詞作不多，被稱爲『詩餘』的詞更能顯示文人的性格才華。小説在賀彭玉麟新婚之喜的情節中，特意將曾氏僅存的兩首詞中的一首《賀新郎》移了進來：『才子風

流塗抹慣，莫把眉痕輕畫，當記取今宵月夜。』讀者能從這幾句詞裏看出一貫正襟危坐的曾氏的另一面。

在《張之洞》中，小説也將有不少詩歌傳世的主人公安排在一個詩韻盎然的氛圍中，如與晉陽書院的學生們相會。學生們要他談詩，他則要學生背他的詩來作交换條件。這一要求没有難到學生們，有兩個士子先後背了他的七律《吴王臺》和長篇歌行《吹臺行》。張之洞很高興學生們如此喜歡他的詩，欣然暢談他的『唐風宋骨』的詩論。到會見結束時，又居然當著年輕人的面贊賞唐代詩人歐陽詹與太原妓雙雙爲情而死的生死之戀，并親筆以一句『人生難得最是情』的題辭，贈送講這段故事的晉陽書院學生劉森。張之洞的文人情懷，在這裏得到充分的表現。

當這些大吏以文人身份出現的時候，他們會不計較彼此之間社會地位的相差懸殊，而與其心中看重的文友真誠平等地交往。小説《張之洞》中寫了張的兩個布衣之交。一是詩人畫家崔次龍。崔潦倒京師，張雖然極爲賞識，但他那時位卑無權，不能提携崔。待到他握有方面大權時，崔又死了。張爲此事抱恨終生。另一個是游方郎中吴秋衣。吴酷愛古碑古帖，與張的愛好相投，兩人成爲好朋友，相交三十餘年。張之洞臨終前夕對人説，他此時最大的遺憾是未能見到吴。而那時，張已位極人臣，而吴仍流浪江湖。這種真誠的文人之交令人感動。有時，他們甚至會因惺惺相惜的文人情感而取代官場的游戲規則，從而做出大逾常規的舉動來。

有時，他們甚至會因強烈的文人情感而取代官場的遊戲規則，從而做出大逆當局的舉動來。

憾是未能見到吳一面。那時，裴已位極人臣，而吳仍流浪江湖。這種真誠的文人之交令人感動。裴的愛好相投，兩人成爲好朋友，相交十餘年。裴之洞臨終前對人說，他此時最大的遺面大慟時，崔又死了。裴爲此事抱恨終生。另一個是浙方郎中吳秋衣。吳酷愛古碑古帖，與家道敗落。崔潦倒京師，裴雖然賞識，但他所居官位卑微，不能提携他。待到他擁有權力其心中看重的文友真誠平等地交往。小說《裴之洞》中寫了裴的兩個布衣之交，一是詩人崔

當這些大吏以文人身份出現的時候，他們會不計較彼此之間社會地位的相差懸殊，而與得到充分的表現。

生難得最是情」的選擇。講述這段故事的嶽麓書院學生劉森。裴之洞的文人情懷，在這當著年輕人的面讚賞唐代詩人歐陽詹與太原妓女真情所死的生死之戀，并贊以一句「人很高興學生們如此喜歡他的詩，於是就講述他的「唐風宋骨」的詩論。到會見結束時，又居然好有幸到學士們。有兩個上午先後背了他的七律《吳王臺》和長篇歌行《鄴臺行》，裴之洞與書院的學生們相會。學生們要他談詩。他則要學生背他的詩來作交換條件。這一要求

在《裴之洞》中，小說也將有不少詩歌傳世的主人公安排在一個詩意盎然的氛圍中，如氏的另一面。

流連欣賞，莫把置高束書。當記取今宵月夜。」讀者能從這幾句詩裏看出一貫汲汲于仕途的曾

今月孤燈

王闓運新婚之喜的情詞中，特意提到曾國荃僅存的兩首詞中的一首《賀新郎·送妓》：「十八子千畫曾氏愛寫詩，而詞作不多，被稱爲「詩餘」的詞更能顯示文人的性格才華。小說在賞讀有「羅詩人的模樣出現在讀者面前。

爲「沉鬱」。詩中「大冶最宜金百煉」，容由果有合本「兩句」，更是驚心動魄，字字中的「一派華的送行禮物是他的五首七律。這五首七律展現了曾氏的詩人實力，其中尤以第五首寫得更逢好友郭嵩燾要離開軍營回原籍林泉，他的心情愈加淒涼。小說寫到這裏時，安排曾氏寫感受到他們厚實的文人底氣。比如《曾國荃》中，在曾氏事業處于低谷、心緒消沉之際，又到適當的時候，小說總是儘可能地引出他們的文學作品，讓讀者看出他們在這方面的才情，描寫他們的政治、軍事、國務活動的時候，十分注重寫出他們身上的這種文人情結，總要通的認識。同時，也讓我們更多地了解了晚清大吏的形象。我在正面地描繪這些重要地宜通現象，促使我在創作長篇歷史小說的時候，對當時的官場風氣有了更多研究貴通字在著

十不多去，并彙編成一冊《主誥酬唱集》，可以說，這種文人情結，在當時的文職大員中留官作主與別人爭個高下，就連一向被人稱爲不讀書的武出身，在他隱居湘上時，也居然寫詠詩詞，郭嵩燾居太常寺卿，相湘也援寫《鐵輔水利志》的林翼，官居湖北巡撫，却要在茶爲刑部尚書，以精于鑒賞古董；彭王麟身爲水師統領，却以畫梅著稱

《張之洞》一書中寫了一段初爲封疆大吏的張之洞，兩次升黜下屬的出格之舉。一次是將一個不能與他聊詩詞金石的縣令，貶爲偏遠貧瘠之縣的縣丞。一次是將一個能解釋『公』『勾』相通的縣丞，破格提拔爲知府。在文人張之洞看來是褒貶得當，但對巡撫張之洞來說，這種褒貶的確過于孟浪。

對于這些文人情結濃厚的大吏來說，他們都有一個終生的遺憾，那就是名山事業與功名利祿不能兩全。他們一面在努力做官從政，企盼政績顯赫，仕途順暢，并爲此耗費了一生的極大心血；同時，他們心中總有一種莫名的失落感，一股深藏的隱痛。他們爲自己的學問未大成、詩文書畫未大顯而極不情願。這種矛盾的心理常伴隨着他們，尤其在事功上獲得大成時，名山事業上的缺位更令他們惆悵不已。

本文開頭所引的《能靜居日記》中的那段文字，流露的便是曾國藩在封侯拜相後對于文人理想未最大實現的抱恨之情。小說《曾國藩》中曾國藩對趙烈文說了這麼一句話：『惠甫，我本是一個讀書做詩文的料子，誰知後來走錯了路。』這話應是曾氏的心聲。曾氏死後，成千上萬的悼念文字中有一副挽聯最受人關注。此聯爲王闓運所撰：『平生以霍子孟張叔大自期，异代不同功，戡定僅傳方面略；經學在紀河間阮儀徵之上，致身何太早，龍蛇遺憾禮堂書。』小說將此挽聯安排在曾氏的夢中出現，同時還夢見王闓運對此的無情評議：『滌翁之才，原在經書文章上，他若一心致力于此，可爲今日之鄭康成、韓退之。但他功名心太重，清清

閑閑的翰苑學士當不久，便去當禮部堂官，做學問的時間已是不够了，後又去建湘軍戰長毛，更無暇著書立說。長處没有得到充分發揮，短處却拼死力去硬幹，結果徒給史册留一遺憾。』王闓運的評議，正是道出了曾氏内心深處的隱痛。

這個隱痛同樣在張之洞身上存在着。小說寫他晚年應詔赴京做大學士兼軍機大臣，坐火車路過河南彰德府時，與辜鴻銘談起内兄王懿榮發現了從殷墟出土的商代甲骨文，稱贊王是『無意之間發現了這個埋在地底下三四千年的絶大秘密』，并說『若讓我自己選擇的話，我寧願不進京做大學士軍機大臣，倒是願意住在這裏，大量搜集出土龍骨，把這個研究做下去』。正是懷有彌補缺陷的心情，張之洞上了京師古董商人的大當，給學界留下一個千年笑柄。小說以整整一節的篇幅叙說了這件事。張之洞在京師海王村見到一口古舊陶缸，懷疑那上面的圖紋是蝌蚪文，便以二千兩銀子買下。小說這樣描繪張買陶缸時的心思：『翰林出身的前清流柱石，骨子裏仍把學問上的事看得最爲神聖崇高。他從心靈深處佩服内兄這個了不起的發現。想想看，殷商時代刻在龜板牛骨頭上的文字居然給發現出來了，這可以從中挖掘多少寶貴的秘密，以此糾正史書上多少錯誤，中國的文字史因此而提前多少年？這種貢獻，簡直可以和發現孔宅墻壁中的古文《尚書》相媲美，其功勞决不是開疆拓土、平叛止亂所可比擬，更遠遠地高過那些平庸經師的著述、無聊文人的詩詞。就是自己這十多年來所引以自傲的諒山大捷、洋務局廠，在内兄的這個發現面前，也顯得黯淡無光。要說偉大，這纔是偉大；要說名垂千古，

這纔是名垂千古！多麼幸運的王懿榮，老天爺將這個曠世奇功慷慨地贈予了他。張之洞想，如果這陶缸上的圖紋真的就是蝌蚪文，如果自己真的將它辨識了出來，那豈不也和王懿榮發現甲骨文一樣的偉大，一樣的名垂千古嗎？』

結果，老天爺讓張之洞在京師衆多學人面前當場出醜：一場大雨將陶缸上的圖紋冲洗得乾乾净净。『古舊』的缸和想象中的『蝌蚪文』全是古董商的僞造！作爲古董鑒賞家的張之洞自然會遭受奚落，但作爲一個文人情結如此强烈的大吏，他却益發顯得可愛。

晚清大吏這種普遍的文人情結的産生，顯然是因爲深受儒家『三立』學説的影響。儒家提倡立德立功立言，并將這『三立』同視爲三不朽。從小在儒家經典熏陶下成長的這些大吏們，自然在追求功利的同時，也渴望詩文著述的名山事業。此外，在他們長期的求學和廣泛的閲讀生涯中，詩文書畫這些文人的創作，的確給他們帶來過藝術美的享受。曾國藩曾經説過，陶淵明、謝朓等人的詩所給予他的樂趣，即便以南面爲王的地位來换取，他也不願意。至于張之洞早年在京師做翰林時，更是經常與一批文人朋友，以打『詩鐘』作爲風雅集會的主要內容。這種從古人詩詞中擷取佳句重新組合而創造出另一番藝術景觀的游戲，帶給他的是一生無窮的美好回憶。另外，這些功名場中的佼佼者，本身都是智商極高的人才，他們若不是將過多的心血花費在經邦濟世的活動上的話，的確是可以在文人事業上做出异于常人的成就。曾國藩所創立的湘鄉文派在近代文學史上的地位，已被學術界所公認。倘若有更充裕一點的時間讓他多寫幾篇類似于《君子慎獨論》這樣的文章，他的古文創作的成就必定會更高一些。他在理學方面的許多心得，也因戎馬倥偬而未留下系統的篇章。張之洞的《書目答問》無疑是中國目録學領域裏的重要著作。倘若讓他一心一意專做版本目録研究的話，相信他可以爲此學科做出更大的貢獻，成爲一代大家。曾國藩、張之洞爲名山事業未大成而生發的遺憾，應是可以理解的。小説在創作這兩個晚清重臣的文學形象時，注重他們身上的文人情結，既能够使小説人物更豐滿、更生動，或許，也更爲接近他們的本來面目。

歷史人物的文學形象塑造——歷史小說創作隨感之三

歷史小說寫的是歷史人物的故事，其中的主要人物大多在歷史上有一定的地位和影響。史册上的記載是其人的歷史形象，小說所描繪的是其人的文學形象。如何處理歷史形象與文學形象之間的關係，或者說，如何將死的史料變爲活生生的人，這是每一個歷史小說作者動筆之初便面臨著的第一個大問題。

我以爲，扎實刻苦地研究史料，把握住所要描寫的人物的基本歷史形象，是文學形象塑造的基礎所在。雖然對『歷史小說』的定義有著多種多樣的不同説法，但比較多的人還是認爲，歷史小說在大的方面不能違背歷史的真實，即書中的主要人物的經歷、重大事件的梗概應該與歷史相吻合。這樣就要求作家必須對自己筆下的那些歷史人物有認真的研究，應該充分利用可以見到的史料，在總體上把握住其人的歷史形象。尤其是那些在歷史舞臺上十分活躍，一生經歷十分複雜，又對當時及後世有較大影響的大人物，作家更要『吃透』他。要做到這一點，必須把人物置于當時的社會環境中去考查。如此，則要求作家有較爲豐厚的歷史學養和較爲卓越的歷史識見。所以，一個歷史小說的作家，應該是對自己筆下的歷史有著較深研究功夫的學者。

常常能見到一些人，幾乎沒有一點歷史準備，便動手寫歷史小說、歷史劇本，寫的甚至還是重大歷史題材。他們以爲憑藉自己的才子氣，就可以藐視這種基本功的訓練。這種人所寫出的作品，理所當然地除開一點小趣味小技巧外，是不可能給讀者以凝重的歷史感、濃郁的歷史氛圍，深邃的歷史智慧的，其筆下的文學形象也必然站不起來。

其次，深入到歷史人物的内心世界，努力做到與之心靈相通，是歷史小說中文學形象塑造成功的關鍵。史册上所記載的，往往是歷史人物的事功業績，或是成功後的輝煌，或是失敗後的凄凉。對于其他方面，如婚姻家庭、性格愛好、情趣習慣，以及爲事業所付出的隱于『輝煌』或『凄凉』後面的心血苦樂、奮鬥搏擊等等，往往是傳統史册所不屑于記録的。其實，這些恰恰是歷史人物或成或敗的要害之處，是他的精神和魂魄之所在。

一個歷史小說作家，必須要有深入筆底人物的精神世界的功夫，與之心靈相通，他所寫出的人物纔能形神兼備，生動鮮活。這種功夫的培養，既需要作家廣泛大量地搜求涉獵當時及後世的各種官私文書、野史軼聞、筆記雜録、譜牒碑序，又需要作家對筆底人物之爲人作細緻入微的分析探索，揣摸體味。

比如曾國藩這個人，二十八歲中進士點翰林，三十七歲官居侍郎銜内閣學士，曾任過五個部的侍郎，後又組建湘軍，打敗太平天國，直至封侯拜相，成爲漢大臣的首領，最後壽終正寢，可謂生榮死哀，輝煌奪目。但通過多年來對大批常人不易見到的第一手材料的分析揣摸後，我發現，此人輝煌的表象所包裹的却是一顆充滿了憂鬱和怯懦的心靈。爲什麽越是聲

歷史人物的文學形象塑造——歷史小說創作隨感之一

歷史小說寫的是歷史人物的故事，其中的主要人物大多在歷史上有一定的地位和影響。史冊上的記載是其人的歷史形象，小說所描繪的是其人的文學形象。如何處理歷史形象與文學形象之間的關係，或者說，如何將史料變爲活生生的人，這是每一個歷史小說作者動筆之初便面臨着的一個大問題。

我以爲，扎實地研究史料，把握住所要描寫的人物的基本面目，是文學形象塑造的基礎所在。雖然對于「歷史小說」的定義，古今中外論者甚多，說法不同，但比較多的人還是認爲，歷史小說家大的方面不能違背歷史的真實，即書中的主要人物的經歷，重大事件的演變應該與歷史相吻合。這就要求作家必須對自己筆下的那些歷史人物有認真的研究，應該充分利用可以見到的史料，在總體上把握住其人的歷史形象。尤其是那些在歷史舞臺上十分活躍，一生經歷十分複雜，又對當時政治有較大影響的大人物，作家更要一點一滴下功夫，做到這一點，必須把人物置于當時的社會環境中去考查。如此，則要求作家有較高的歷史學養和較爲卓越的歷史識見。所以，一個歷史小說的作家，應該是對自己筆下的歷史有着較深研究功夫的學者。

常常能見到一些人，幾乎沒有一點歷史準備，便動手寫歷史小說、歷史劇本，寫的甚至還是重大歷史題材，他們以爲憑藉自己的才子氣，就可以繞過這種基本功的訓練。這種人所寫出的作品，除所能提供一點小趣味小技巧外，是不可能給讀者以厚重的歷史感、真實的歷史氛圍、深邃的歷史智慧的。其筆下的文學形象也必然站不起來。

其次，深入到歷史人物的內心世界，努力做到與之心靈相通，是歷史小說中文學形象塑造成功的關鍵。史冊上所記載的，往往是歷史人物的事功業績，或是成功後的輝煌，或是失敗後的凄涼。對于其他方面，如婚姻家庭、性格愛好、情趣嗜好，以及爲事業所付出的種種艱辛、波折，挫折後面的心血苦樂、奮鬥拼搏等等，往往是史冊所不屑于記錄的，其實這些恰恰是歷史人物成功或失敗的要害之處，是其精神和氣質之所在。

一個歷史小說作家，必須要有深入到人物精神世界的功夫，與之心靈相通，他所寫出的人物纔能形神兼備，生動鮮活。這種功夫的培養，除需要作家廣泛大量地閱讀當時及後世的各種官私文書、野史雜記、筆記詩歌、論說碑刻外，又需要作家對其人物之爲人作細緻入微的分析探究，揣摩體味。

比如曾國藩這個人，二十八歲中進士點翰林，三十七歲官居侍郎銜內閣學士，曾任過五個部的侍郎，後又組建湘軍，打敗太平天國，直至封侯拜相，成爲漢大臣中的首領，最後諡文正，可謂生榮死哀、輝煌奪目。但通過多年來對大批當事人不易見到的第一手材料的分析研究後，我發現，此人輝煌的表象所包裹的卻是一顆充滿了憂懼和焦慮的心靈。爲什麼他是譽隆盛，他越是憂鬱？爲什麽越是戰功顯赫，他越是怯懦？寫出這中間複雜微妙的内在關聯，以及導致這種極大反差的社會緣故、個人因素，那麽也就寫活了曾國藩這個特殊的歷史人物。

第三，衡情推理，彌補史料之不足，可使藝術真實超越信史。我曾經跟從事歷史研究的朋友們説：研究歷史，固然要從史實出發，這是毫無疑義的。但是，流傳下來的史料與豐富多彩的歷史本身相較，實在是一毛與九牛之比。因此，不妨在嚴肅認真的研究基礎上，作一些衡情推理的考求，或許能够彌補史料之不足。這個觀點，對于歷史研究者來説，可接受，也可不接受，但對于一個歷史小説的創作者而言，我覺得是可以而且應該采納的。通過衡情推理的功夫，可以創造出一個有著藝術真實的歷史人物的文學形象來，它甚至可以超越歷史的真實。而這，正是作家對人類社會的貢獻。

我在寫作《楊度》時，曾反復思考這樣一個問題：一九一五年時的袁世凱身爲中華民國正式大總統，他手裏握有强大的北洋軍隊，剛剛鎮壓了國民黨的二次革命，又通過了任期十年、可連選連任、可提名候選人的總統選舉法。這個總統選舉法，既保證了袁世凱終身總統的位置，又賦予他至高無上的權力。他實際上已是一個不折不扣的皇帝了。爲什麽袁世凱還要復辟帝制呢？難道説，『皇帝』的稱號比起『總統』的稱號來，就真的有這樣大的魅力，以至于使得他情願去背弃自己昭告世界的諾言，冒天下之大不韙嗎？關于這個疑問，現存的史册中并没有明確的答案。

在綜合分析許多史料的基礎上，通過自己的衡情推理，我認爲在袁世凱帝制自爲的逆流中，真正的主角不是袁世凱本人，而是其長子袁克定。這個懷著宰割中國的野心而又不具備相應能力的袁大公子，正是需要把共和制復辟爲君主制，把『總統』退回到『皇帝』，纔可以由太子進而登基稱帝。否則，按共和制的憲法，在政治和軍事兩個領域裏都没有根基、派系的袁大公子，將永遠不可能被推舉到至尊的地位上。所以他要竭力慫恿，甚至采取欺騙的手法，千方百計地要他的父親做皇帝，有著極重私心，又習慣于舊秩序的袁世凱自然樂意接受各方擁戴。這樣，便造成了歷史上的洪憲帝制怪胎。

我的這種思索，也不能拿確鑿的史料予以證實，祇能算是一個推測。我自認爲這個推測是可以成立的。我按自己的想法去描述那段歷史，去塑造袁氏父子的文學形象。當然，其文學形象是否塑造得成功，那就祇能由讀者們去評判了。

謂深度，[illegible]的內在關

以及導致這種結局的社會原因、個人因素，[illegible]這個特殊的歷史人

[illegible]

沒有明確的答案。

在綜合分析許多史料的基礎上，通過自己的衡情酌理，[illegible]

真正的主角不是[illegible]本人，而是[illegible]

[illegible]

我的這篇東西，既不能拿史料予以證實，[illegible]

是可以成立的。我給自己設想的是描述那段歷史，去塑造表現人物的文學形象。當然，其文學形象是否合理成功，那就祇能由讀者們去評判了。

敬畏歷史　感悟智慧——歷史小説創作隨感之四

中華民族是一個最爲看重歷史的民族。三千年的文明史能被歷代官書私乘記載下來，一脉相承而不中斷缺失，此乃世界獨一無二的民族文化奇迹。

出自于對文化和民族的熱愛，出自于對歷史載籍作者的尊重，我一向對歷史有著一種敬畏感：面對著那一頁頁記録著中華民族沉重脚印的史册，不敢有半點輕薄之態。因爲此，看到一些以玩弄歷史來取悦市場、以胡編亂造來圖名謀利的文藝作品時，總免不了有厭惡之感。儘管也知道那衹不過是戲説而已，用不著當真的，但在情感上總不能接受，就像看到無聊游客在名勝古迹上的塗畫一樣，有一種心中的莊嚴被褻瀆的感覺。

以歷史爲題材的文學藝術作品，自然免不了虚構的成分，但虚構不等于瞎凑。歷史文藝作品的高低之分，我以爲一在創作態度上，二在對史料的取捨上。

在創作態度上，我持『敬畏』之心。所謂『敬畏』，是説作家要嚴肅莊重地面對歷史。我在每部長篇小説的創作之初，都要花費極大的精力和足够的時間去搜集、閲讀與之相關的大量第一手史料，力求做到對筆下的時代和主要人物的一切都瞭然于胸。如動筆寫《曾國藩》時，我已做了三年的新編《曾國藩全集》責任編輯，又從曾府百年老檔中整理出約百萬字的曾氏家書，并且撰寫發表了七八篇研究曾氏的學術論文。這以後的寫作過程中，我是白天清理僵冷枯燥的前代卷宗，晚上與腦海中那個有血有肉的曾國藩作心靈上的溝通。這樣的狀態，一直伴隨著一百二十萬字《曾國藩》的完成，長達五年之久。

所謂『敬畏』，還要求作家不能隨心所欲地去杜撰歷史、曲解歷史，纔能在把握筆底下的那個時代和所要描繪的主要人物的歷史基調的前提下，去充實歷史、提煉歷史、鮮活歷史，從而達到藝術上的再現歷史。如果説，史料好比是一卷殘缺的古畫，文藝作品則應是一座完整的雕塑。作家需要藉用藝術手段將它彌漏補缺，并讓它站起來，立體地呈現在讀者的眼前。如果説史料好比是一具木乃伊，文藝作品則應是一個活生生的人。這需要作家深入到人物的心靈世界、情感世界，寫出人物的精、氣、神。如果説，因種種原因，史料打上了濃厚的個人色彩，那麽，作家則要站在文化和人文的立場上，去掉人爲的包裝而恢復其本來的面目。這就更需要作家既具有史家的德與識，又具有藝術家的敏鋭眼光和非功利性的良知。

『敬畏』的創作態度還體現于作家力求在把握歷史再現歷史的同時，通過筆下栩栩如生的人物形象和那些精心打造的情節細節，給予讀者以强烈的閲讀魅力，爲讀者提供一個廣闊的思考空間，讓他們心有顫動，情有同感，浮想聯翩而似有啓益，好比當年梁惠王對孟子説的『夫子言之，于我心有戚戚焉』那樣。一部歷史小説能寫到這般地步，在我看來，就算是真正的成功了。比如《三國演義》中的『三顧茅廬』一節，便可以讓人常讀常新，百讀不厭。不要説劉備的求賢若渴、諸葛亮的高瞻遠矚，讓百代英雄才人感慨萬千、掩卷長嘆了，即便是那『山

不高而秀雅，水不深而澄清』的隆中風光，以及那班子『騎驢過小橋，獨嘆梅花瘦』的隱者風采，也都能讓人思之仰之，心馳神往。而這一切，又都是作家基于信史的創造。尊重歷史的本真狀態，在此基礎上再去飛揚著作家的杰出藝術才思。這便是歷史小説首席大師留給我們的啓示。敬畏敬畏，既敬又畏，在當今以歷史爲創作素材的文壇藝苑，似乎更應强調一個『畏』字。多年來，社會提倡『大無畏精神』。此種倡議固然好，但負面的影響也是不可低估的。人若是什麽都不畏懼的話，便易走向無法無天的極端。人人都如此，社會立刻便無序，最終的結果是大家都不得安生。所以，人是應當有所畏懼的：畏法畏道畏真理等等。對于歷史，也應該心存畏懼。中國的歷史，是中華民族世世代代所共同創造出來的人類文明，作爲一個民族的共同所有，一旦遭遇輕侮，就一定會犯衆怒，惹公憤。對于不尊重中華歷史的人，每一個炎黄子孫都有譴責的權利。常言説『千夫所指，不疾而死』。戲弄歷史的人，是必將受到歷史懲罰的。

在十多年的潛心創作生涯中，我翻閲了數以千萬字計的各種史料。歷史上那些波譎雲詭的大事件，那些趕風逐浪的頭面人物，以及許許多多的掌故軼事，都能激發我的創作情緒，但要説真正令我從内心深處發出擊節之嘆的，還是前人所遺留下來的那些寶貴的人生智慧。

我以爲人類的智慧，從大的方面來説可分爲兩個門類：一類是針對自然界而言的，一類是針對人的自身而言的。在漫長的中華文化發展史上，中華民族在關于人類自身（包括群體和個體）的生存方面所産生的智慧，真可謂豐饒富足而又光彩奪目。感悟這些智慧，常常能讓人的心靈充塞一種難以言狀的愉悦。遺憾的是，在過去，它們常常與『封建糟粕』連在一起，被人們輕率地抛弃了。其實，從文化的角度來看，人類的生存意識總是與當時的生存環境相配合的。生存環境中某些部分一旦失去，與之緊密相連的那些生存意識也就會自然而然地淡化乃至消失，是無須人們强行地去批判去剥奪的。客觀地説，古人生存環境的許多方面，與今天相比并没有多少改變，有的被沿襲，有的仍在制約著今人。前人在與這些生存環境長期磨合的過程中，産生了許多具有精粹意義的生存意識，這便是我們所説的智慧。這種智慧實在值得我們珍惜。但這些閃光的人生智慧，却常常深藏在古舊發黄的卷帙和枯燥無味的文字内，一般人是不可能去接觸這些乏趣的媒體的。如果没有人去發掘去感悟的話，它就將會慢慢湮没，從而造成不可挽回的巨大損失。

十多年來，我就在做這種事：在塵掩灰埋的故紙堆裏，在難讀難懂幾無情趣可言的舊時文字中去細細發掘開采，用心靈去領會昔人的那些生存意識中的精粹，然後將它們寫在我的小説中，藉助我的那些輕鬆可讀的文字和今人喜聞樂見的表達方式，讓讀者和我一起來感悟歷史的智慧。

我常常想，我好比在弃置了兩千多年的殷墟故址上，于茫茫黄土、沉沉瓦礫中挖掘刻著先人記事符號的龜甲牛骨；也好比在馬六甲海峽的百尺水底，于海藻、珊瑚叢中尋覓明清沉船留下的宋元瓷器；又如在深山老林的懸崖峭壁上，于雜草石縫中尋找人參、靈芝。當然，

不高而深，水不深而清」的一方中國風光，以及那井干一般的小橋、獨木橋、[illegible]

也都能讓人品[illegible]

在[illegible]

做[illegible]

社會[illegible]

不要[illegible]

都不得安生[illegible]

中國的歷史，是中華民族世世代代所共同創造出來的人類文明。作為一個民族的共同所有，[illegible]

一日[illegible]

讀[illegible]

在十多年的寫作生涯中，我翻閱了數以千萬字計的各種史料。歷史上那些波瀾壯闊的大事件，那些起過重大影響的人物，以及許許多多的掌故軼事，都能激發我的創作靈感，但更為重要的，是從[illegible]前人所遺留下來的寶貴的人生智慧[illegible]

我以為，人類的智慧，從大的方面來說可分為兩個門類：一類是針對自然界而言的，一類是針對人的自身而言的。在漫長的中華文化發展史上，中華民族在關於人類自身（包括群體和個體）的生存方面所產生的智慧，真可謂豐富而又光彩奪目。常常能讓人的心靈充實一種難以言狀的衝動。這些智慧，在過去，它們常常與封建糟粕相連在一起，被人們輕看甚至拋棄了。其實，從文化的角度來看，人類的生存意識與生存環境相配合的。生存環境中某些部分一旦失去，與之相聯的那些生存意識也就會自然而然地[illegible]化乃至消失，是真實人們進行批判去剝奪的。古人生存環境的許多方面與今天相比，並沒有多少改變，有的甚至[illegible]仍然在制約著今人。而人在這些生存環境所合的過程中，產生了許多具有精粹意義的生存意識，這便是我們所說的智慧。這種智慧[illegible]值得我們珍惜。但這些智慧，卻常常深藏在古籍[illegible]一般人是不可能去發掘[illegible]的。如果沒有人去發掘，它們就將會[illegible]從而造成不可挽回的巨大損失。

十多年來，我就在做這種事：在塵封的故紙堆中，[illegible]文字中[illegible]出來，用心靈去領會古人的那些生存意識中的精粹，然後將它們寫在我的小說中，藉助那些輕鬆可讀的文字和今人喜聞樂見的表達方式，讓讀者和我一起來感悟歷史中的智慧。

我常常想，我好比在沉睡了兩千多年的殷墟故址上，在[illegible]中挖掘出刻著先人記事符號的甲骨；也好比在居延[illegible]中尋覓[illegible]部留下的宋元字畫；又如在深山古林的懸崖峭壁上，于雜草石縫中尋找人參、靈芝。當然，甲骨需要辨識，名瓷需要修補，參、芝需要製作；故紙堆提供的祇能是材料，作爲小說家，我要把它創作成藝術品，纔能奉獻給我的讀者。

人類喜歡温習歷史，更喜歡在美的享受中藉助前人的智慧來燭照今天，所以，歷史文藝作品將會有著長久的生命力，但這種生命力是必須建築在遵循其自身創作規律上的。

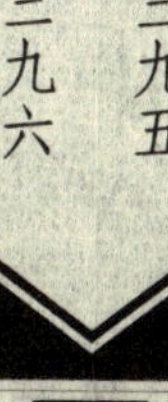

我看歷史小說——歷史小說創作隨感之五

近二十幾年來，以歷史素材爲內容的文藝作品頗爲繁榮：歷史電視連續劇在熒屏上紅紅火火，各種取材于歷史傳說的繪畫、雕塑、裝潢等也都很引人注目，至于歷史長篇小說更是有一點獨領風騷的味道。觀衆和讀者的熱情，也激發評論界的關注，評論家們也熱心發表自己的意見。評論界的參與，無疑將會對這個文藝現象有著很好的指導意義。這二十年來，我一直在寫作歷史小說，也一直在思考如何寫好歷史小說，我把自己的一些思考略作整理，就教于廣大讀者和評論界。

一、歷史小說不同于歷史傳記

以歷史上的人物及其活動爲主要寫作對象的傳記讀物，一直很受讀者喜歡。司馬遷首開此項創舉。他在《史記》中分別以『本紀』『世家』『列傳』等不同名目，爲在歷史上留下重要痕迹的人物作傳。太史公以後的歷代官修史書或民間私乘，幾乎都沿用這個成例，數以千計活躍在當時各個領域的優秀人物，藉此而留名青史，并爲後世研究者留下豐富的史料。中國的史書，歷朝歷代之所以擁有大量的非專門研究人員的讀者，其原因很大部分就在于有這批人物傳記。歷史小說也是以歷史上的人物及其活動爲主要寫作對象的讀物，人們很自然將它與傳記聯繫起來，其實這兩者是不能等同的。歷史傳記最重視的是準確、真實、完備、甲骨需要辨識，文獻需要修補，殘史需要重新寫作，故紙堆提供的素材能呈示歷史。作為小說家，我要把它們創作成藝術品，奉獻給我的讀者。

人類喜歡品嘗歷史，更喜歡在美的享受中體驗前人的智慧來觀照今天。所以，歷史文藝作品都會有著長久的生命力，但這種生命力是必須建築在真實其自身創作過程上的。

讀歷史小說——歷史小說創作隨感之五

近二十幾年來，以歷史素材為內容的文藝作品廣為流行：歷史電視連續劇在熒屏上紅火火，各種取材于歷史的劇本、話劇、繪畫、影視等也都很引人注目，至于歷史小說更是有一點洛陽紙貴的味道，讀者的熱情，也激發了評論界的熱情，評論家們也紛紛表示自己的意見。評論界的參與，無疑將會對這個文藝現象有著很好的指導意義。這二十年來，我一直在寫作歷史小說，也一直在思考如何寫好歷史小說，我把自己的一些思考寫出來，說給廣大讀者和評論界。

一　歷史小說不同于歷史傳記

以歷史上的人物及其活動為主要寫作對象的讀物，一直很受讀者喜歡。司馬遷首開此項創舉。他在《史記》中分別以「本紀」「世家」「列傳」等不同名目，為在歷史上留下重要業績的人物作傳。太史公以後的歷代官修史書或民間私乘，幾乎都沿用這個做法，數以千計許許多多在當時各個領域的優秀人物，藉此而留名青史，並為後世研究者留下豐富的史料。中國的史書，歷朝歷代之所以擁有大量的非專門研究人員的讀者，其原因很大部分就在于這些人物傳記。歷史小說也是以歷史上的人物及其活動為主要寫作對象的讀物，人們很自然將它與傳記聯繫起來，其實這兩者是不能等同的。歷史傳記具有的是準確、真實、完備，客觀等特性。它需要用洗練的語言概括性地叙述一個事件的前前後後和一個人的主要經歷，所有的叙述都要有根有據，不允許『根據』之外的任何成分存在。正因爲此，人們在備加推崇《史記》的同時，也對書中的某些叙述偏離了『根據』而頗有微詞。

歷史小説從本質上來説，它是作家的創造。在大量的原始史料中，作家會有所偏重，有所取捨，有所組合，所以它可能不完備，可能有很重的感情色彩，還可能在某些細事末節上不很準確。爲了彌補史册記載的缺陷，在雖没有發生、但有可能發生的原則指導下，作家會有所想象，有所虚構，有所創造，因而它可能不會很客觀很真實。也正因爲《史記》中的人物傳奇有這樣一些成分在内，故而《史記》在文學史上有很高的地位，甚至被魯迅先生譽爲『無韵之《離騷》』。

有一些評論者習慣將歷史小説中的人物和事件與史書中的記載一一對照，并據此指責小説所寫與史實不合。這些評論者是把歷史小説當成歷史傳記在讀，以傳記來要求小説，顯然不合適。

二、歷史小説不同于古裝戲

穿著古人的服裝，藉來幾個歷史名人的姓名，根據一點點影子而敷衍爲一段故事，在舞臺上表演出來，這種被稱爲古裝戲的表演藝術，千百年來長盛不衰，人們喜聞樂道，對中國民間文化的影響至爲深遠。在過去，評論界對這種古裝戲的評論，從來不會牽扯到所謂歷史

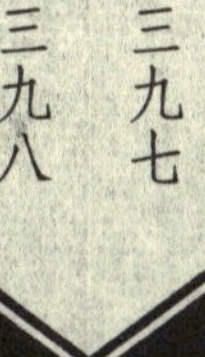

真實的問題，因爲它根本不在這個討論範疇中。老百姓决不會因爲古裝戲没有歷史真實性而不喜歡它，因爲他們主要的是在欣賞演員的唱做功夫，欣賞劇中的臺詞與情節，爲强烈的戲劇衝突而吸引。當然，戲中所表現的揚善抑惡、褒美貶醜的主題爲他們所樂意接受，也是其中的一個重要原因。但近年來電視熒幕上的一些戲説劇，特别是某些標出歷史正劇名目的連續劇，却常常被評論者們拿來作批評的物件，甚至有的擔心這些電視劇將會對觀衆尤其是對青少年觀衆起著誤導歷史的壞影響。

爲什麽會出現這種狀况呢？筆者以爲，這或許是電視劇走出了舞臺的限制，增加許多真實的道具，而給人們造成錯覺的緣故。尤其是那些根據長篇小説而改編的所謂歷史正劇，更爲觀衆提供了『真不真實』的批評依據。但另一方面，因爲古裝戲的走紅，有的作家便以爲歷史小説也可以寫成戲説，甚至認爲歷史小説完全是作家心中的想象，它可以祇需藉來幾個朝代的名稱和歷史人物的名字，而其他的一切都由作家來任意安排。當然，目前流行的長篇歷史小説中，整部書都如此創作的尚屬少數，而其中的某些部分走這種戲説路子的却大有人在。竊以爲，以這種路數來寫作歷史小説尤其是長篇歷史小説是不行的，因爲歷史小説與古裝戲完全是兩個不同類型的藝術品種。

首先，歷史小説尤其是長篇歷史小説，它寫作的物件是一個時代以及活躍在這個時代中的衆多風雲人物。作者一旦選擇歷史小説這種文體，也便踏入了一個公共空間，即爲一段歷

客觀存在性。它需要用語言概括地敘述一個事件的前因後果和一個人的主要經歷，所有的敘述都要有根有據，不允許有一點虛構的成分存在。正因為此，人們在推崇《史記》的同時，也對書中的某些敘述偏離了「根」「據」而流於傳說。

歷史小說從本質上來說，它是作家的創造。在大量的原始史料中，作家會有所偏重，有所取捨，有所組合，所以它可能不完全，可能有很重的感情色彩。這可能在某些細枝末節上不很準確。為了彌補史料記載的缺陷，在邏輯上有可能發生的原則指導下，作家會有所想象，有所虛構，有所創造。因而它可能不會復原歷史很真實，也正因為《史記》中的人物描寫有一些虛構成分在內，故而《史記》在文學史上有很高的地位，甚至被魯迅先生譽為「無韻之《離騷》」。

有一些評論者習慣將歷史小說中的人物和事件與史書中的記載一一對照，並據此指責小說所寫與史實不合。這些評論者是把歷史小說當成史書來要求小說，顯然不合適。

二、歷史小說不同于古裝戲

穿著古人的服裝，借來演繹歷史或古人的故事，根據一點點傳說而演繹成一段故事，在舞臺上表演出來。這種戲被稱為古裝戲的表演藝術，千百年來長盛不衰，人們喜聞樂道，對中國民間文化的影響甚為深遠。在過去，評論界對這種古裝戲的評論，從來不會牽扯到所謂歷史真實的問題，因為它根本不在這個評論範疇中。古代人並不會因為古裝戲缺乏歷史真實性而不喜歡它，因為他們看重的是欣賞過程中的愉悅，欣賞劇中的臺詞唱腔、演員的表演技藝而發引。當然，戲中所表現的善惡美醜的主題為他們所樂意接受，也是其中的一個重要原因。但近年來，電視螢幕上的一些古裝劇，特別是某些標出歷史正劇名目的連續劇，卻常常被評論者們拿來作批評的物件，甚至有的還引起爭論，這些電視劇對觀眾尤其是青少年觀眾起了誤導歷史的影響。

為什麼會出現這種狀況呢？筆者以為，這或許是電視劇走出了虛擬的限制，增加了許多真實的道具，而給人們造成錯覺的緣故，尤其是那些根據小說而改編的所謂歷史正劇，更為觀眾提供了一「真不真實」的批評依據。但另一方面，因為古裝戲的走紅，有的作家便以為歷史小說也可以寫成戲說，甚至認為歷史小說完全是作家心中的想象，它可以只需借來幾個朝代的名稱和歷史人物的名字，而其他的一切都由作家來任意安排。當然，目前流行的長篇歷史小說中，這部書如此創作的尚屬少數，而其中的某些部分走這種戲說路子的卻大有人在。竊以為，以這種路數來寫作歷史小說尤其是長篇歷史小說是不行的，因為歷史小說與古裝戲完全是兩個不同類型的藝術品種。

首先，歷史小說尤其是長篇歷史小說，它寫作的物件是一個時代以及活躍在這個時代中的英雄人物。作者一旦選擇歷史小說這種文體，也便陷入了一個公共空間，即為一段歷史一個族群所共有的空間。因此也就得遵守此空間所帶來的規矩原則，不能憑一己之好惡而隨心所欲，不能依自己的個性而肆意妄爲，否則就會犯衆怒引來公憤。筆者常用『敬畏歷史』來表達這個意思。

『敬畏歷史』，首要的是一種態度問題，即作家要用一種尊重謹慎的心態面對你筆下所寫的對象。你要下大功夫去瞭解它熟悉它研究它。時代的大脉絡必須摸清楚，不能走樣。對其變動的大趨勢要看明白，不能糊塗。筆下的那些著名人物，不可隨意編造、信口開河。這一點，便將嚴肅的歷史小說與戲說歷史的古裝戲鮮明地劃清了界限。

其次，歷史小說還擔負著給讀者傳遞對歷史的某種認知的責任。讀歷史小說的人，絶大部分都是那些歷史喜愛者，歷史小說以它的文學魅力將讀者引領進歷史領域，讓他們在這個領域裏獲取自己的所需。這是歷史小說擁有廣大讀者的一個重要原因。如此，則歷史小說有必要將作者心目中的那個『歷史真實』展現給讀者，不能存心將讀者引入歧途。追溯歷史小說的發展過程，可以在宋代市民文化中的『講史』中找到它的源頭。宋人孟元老《東京夢華録》中記述了開封市民文化生活的豐富，說開封城裏勾欄瓦肆中說書風氣很盛，有說小說的，有說諢話的，有說經的，有講史的。講史裏又有專說三分即三國史的，專說五代史的。傳下來的書有《新編五代史評話》《大宋宣和遺事》等，而《大宋宣和遺事》則成爲日後《水滸傳》的最初底本。當然，我們現在所讀的歷史小說，與宋代的講史有了很大的區別，但以歷史事實作爲其素材這一點則是相同的，而作爲歷史小說源頭的講史，從一開始便與純是編造的『小說』和古裝戲文有著明顯的區別。這個區別的重要標志就是講史必須有史事爲依據。

再次，歷史小說是以文字和紙作爲媒介，以此構築的文學世界與演員與舞臺構築的藝術世界也有很大的差异。若歷史小說，尤其是長篇歷史小說走古裝戲那種衹求戲劇衝突而不顧歷史事實的路子，則將經不起讀者的追究和拷問，它就很難接受時間的考驗。而一部不能接受時間考驗的書籍，即便當時紅極一時，也進不了優秀作品的行列。

三、歷史小說的功夫重在人物、情節和氛圍上

前面說到歷史小說之所以擁有比歷史傳記更多的讀者，是因爲它以文學魅力將讀者引入到歷史領域，這種文學魅力是歷史傳記所沒有的。至于構成這種文學魅力的元素，我以爲主要有三個，即人物形象、故事情節和特定的人文氛圍。

歷史小說中的人物，應該有血有肉鮮活生動，與傳記中的人物呈平面狀態不同，它是可以活起來的立體。除開對話幫助他充實外，最主要的是要靠作者將精氣神貫注于人物的軀體中，有了精氣神，人纔會活起來。具體來說，精氣神，體現在人物的個性、氣質、心靈、情感等方面。有才華的歷史小說家，能把筆底下的主要人物寫得個性鮮明可辨，氣質觸手可持，心靈細微豐富，情感真切飽滿，讓讀者讀後記得住、想得起、區別得開。優秀小說家可以做到將歷史上那個真實的人物，在讀者的心目中定格爲自己筆下的文學人物，即便嚴謹的史學家拿出十

條百條過硬的考證來否定，也不可撼動。如曹操、諸葛亮、周瑜這些人，在中國的廣大民衆中，始終衹認可羅貫中所塑造的形象，任史學家説曹操是多麽的冤枉、諸葛亮其實并没有那麽神乎、周瑜的胸襟也很寬闊等等，但大家説起來依舊是曹操奸詐、諸葛亮智慧、周瑜量小，這就是小説的力量。

所有的人物傳記，都衹是介紹傳主生前做了哪些事，却不會去詳細説明所做事情的來龍去脉、前因後果，其中的細微末節、幕後的隱情秘辛，更會有意地遭到忽略。讀者中不乏有效法前人渴望親手做大事的進取者，但可惜，這些傳記無法傳授給他們自己切實可操作的技能；讀者中也不乏喜探隱賾欲究暗箱的人，但可惜，這些傳記無法滿足他們的這些願望，于是，許多人讀史讀得索然寡味。而歷史小説則要把一樁事情哪怕是一樁在正史看來微不起眼完全不足挂齒的小事，寫得過程一點不漏，過節纖微必録，興致盎然濃烈，筆墨酣暢淋漓，讓人讀起來有滋有味，掩卷後仍覺餘音繞梁。姚雪垠先生的《李自成》，便有許多像這樣寫得好的情節。我特别愛讀他在第二卷上册中寫劉體純奉李自成的命令，從商洛山來到開封府，尋找宋獻策以救牛金星那一節。書中寫宋獻策如何走州橋，如何在大相國寺中尋找要會的人，如何在小酒店裏與劉體純秘密交談，以及宋劉會見後，宋如何從《推背圖》上的讖語，聯想到李自成有可能成事，從而决定營救牛金星等等。

姚雪垠將這一情節整整地寫了兩節，寫得那樣的從容舒緩，那樣的細緻入微，那樣的豐富有趣，真有點自己就像一個尾隨的暗探，跟著書中人物在走街串巷，在大相國寺看賣狗皮膏藥，聽酒店小老闆念他家那本難念的經。我多次讀這兩節，每次讀都覺得津津有味，放下書後，還久久走不出三百多年前那座古老的汴梁京都！

這就是情節的吸引力。除開歷史小説，哪一個歷史讀物能有這樣的本事！

作爲文學作品，歷史小説區别于其他讀本的還有一個重要之處，那就是它和所有的小説一樣，必須要有與書中人物情節和諧統一的場景氛圍，而特定的歷史人文氛圍的濃郁與否，又是衡量一個作家傳統文化修養的深淺厚薄、一部歷史小説的氣韵有無豐歉的極好標尺。

寫當代題材的小説，人文氛圍的營造，對有才氣的作家來説不是一個太難的問題，而對寫歷史小説的作家來説，此事最見功力。因爲他需要作家對他筆下的世界有著全方位的掌握，即對那個時代的社會概貌、生存狀態、民俗民風、風土人情、飲食起居、典章制度等方方面面都清楚，而此種『清楚』得來却極爲不易。它不是憑聰明就可以得到的，它需要作家下笨功夫、苦功夫，長期不懈地浸淫在那個虚幻世界的尋覓探求中。就我自己有限的當代歷史小説的閱讀中，我最强烈感受到的就是作者在這一功夫上的嚴重欠缺，有的甚至是全然没有。不少的歷史小説基本上就是靠叙事與對話兩項内容來敷衍成書，這樣寫，于作者來説當然輕鬆容易：從史册上找來事件的記載，按今人的思維方式來安排大段大段的對話，洋洋數十萬言的歷史小説就完成了。然而，一部缺乏特定歷史時期的人文氛圍的小説，又能够算得上真係古條過硬的考證來否定，也不可撼動。如曹操、諸葛亮、周瑜這三人，在中國的廣大民眾中，恰該是羅貫中所塑造的形象。任史學家說曹操是多麼的雄才大略、諸葛亮其實並沒有那麼神，周瑜的氣量也很寬闊等等，但大家說起來依舊是曹操奸詐、諸葛亮智慧、周瑜量小，這小說的力量。

所有的人物傳記，都只是介紹傳主生前做了哪些事，卻不會去詳細說明所做事情的來龍去脈、前因後果，其中的細微末節、幕後的隱情秘辛，更會有意地遭到忽略。讀者中有的人渴望瞭解大事的進退取舍，但可惜，這些都無法提供給他們自己切實可操作的技能；讀者中也不乏喜探隱讀深究細節的人，但可惜，這些細節記載無法滿足他們的這些需要。許多人讀史讀得索然寡味，而歷史小說則要把一樁事情哪怕是一樁在正史中微不足道、完全不足掛齒的小事，寫得過程一點不漏，過細繁瑣也必錄，興致盎然地鋪展開來，讓人讀起來有滋有味。姚雪垠先生的《李自成》，便有許多這樣寫得好的情節。我特別欣賞他在第二卷上冊中寫牛金星奉李自成的命令，從洛陽來到開封尋找宋獻策那一節。書中寫宋獻策如何走州橋，如何在大相國寺中遇到牛金星，如何在小酒店裏與劉體純秘密交談，以及宋獻策如何從《推背圖》上的讖語說到今日自成有可能成事，從而決定投奔李自成等等。

姚雪垠將這一情節鋪敘地寫了兩節，寫得那樣的從容舒緩，那樣的細緻入微，那樣的豐

富有趣。真有點自己就像一個尾隨的陪客，跟着書中人物在走街串巷，在大相國寺看賣藝，聽酒店小老闆念他家那本難念的經。我多次讀這兩節，每次讀都覺得津津有味，放下書後還久久走不出三百多年前那座古老的汴梁京都。

這就是情節的吸引力。除開歷史小說，哪一個歷史讀本能有這樣的本事！

作為文學作品，歷史小說區別于其他讀本的還有一個重要之處，那就是它和所有的小說一樣，必須要有與書中人物情節協調一致的場景氛圍，而特定的歷史人文氛圍的營造，卻又是衡量一個作家傳統文化素養的厚薄、一部歷史小說的氣韻有無豐厚的標尺。

寫當代題材的小說，人文氛圍的營造，對於有才氣的作家來說不是一個太難的問題，而對寫歷史小說的作家來說，此事就見功力。因為他需要作家對他筆下的世界古今全方位的瞭解：那個時代的社會制度、生存狀態、民俗民風、風土人情、飲食起居、典章制度等方面都清楚，而此種「清楚」得來相當不易。它不是靠聰明就可以得到的，它需要作家下功夫、苦功夫，長期不懈地浸淫在那個虛幻世界的尋尋覓覓中。就我自己有限的當代小說的閱讀中，我最強烈感受到的就是作者在這一功夫上的嚴重欠缺。有的甚至是全然不少的歷史小說基本上就是章節敘事與對話兩項內容來演衍成書，這樣寫，于作者來說當經容易：從史冊上找來事件的記載，按今人的思維方式來安排大段大段的對話，洋洋數言的歷史小說就完成了。然而，一部缺乏特定歷史時期的人文氛圍的小說，又能夠算得上真

正的歷史小說嗎？怪不得不少讀者訴苦說，讀歷史小說容易受騙，看書名，怦然心動，讀目錄，激起購買欲，待買下後回家仔細閱讀時，纔發覺竟索然無味。這裏的關鍵，是作者沒有將讀者帶進他所想要去的那個時代，而之所以沒有帶進去，其中的主要一點是缺乏歷史氛圍。作家的功力淺薄，在讀者認真的閱讀中露了馬脚！

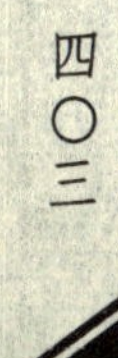

從編輯《曾集》到寫曾國藩

我是『文革』前最後的一屆大學生，當時讀的是水利工程，畢業後一直在水利部門工作。但我個人的興趣更喜歡文學、歷史等人文學科，所以，在『文革』結束，恢復研究生制度後，我在一九七九年考入華中師範學院中文系古典文學專業，于是由工科生變成了文科生。三年後畢業，分配到湖南長沙岳麓書社。那時岳麓書社剛剛由湖南人民出版社分出來建社不足半年，全部人馬加起來，也就十幾個。大家在一間大辦公室上班。另外在不遠處新華社湖南分社招待所還租了一間約十平方米的小房子，我被安置在這裏。用一個大書櫃，將房間分爲前後兩部分，我在後半部分搭了一張單人床，擺上一張書桌、一把椅子，就算安頓下來了。前半部分，則坐著編輯部主任和另一個編輯。因爲有書櫃擋著，我坐在後面，有一種擁有獨立空間的感覺，心裏很安寧。到了下班，這間辦公室便是我的一統天下，更覺十分滿足。我從小喜歡讀書，現在天天與書稿打交道，又可以遇上不少有學問的作者，這工作太好了！

主任是個待人和氣的半老頭。他那時在看《古文觀止》譯注的清樣。《古文觀止》是我一直很想讀却找不到的書，現在它的書稿居然就在眼前，我很高興，對主任說：『您打清樣時多打一份，把那一份送給我吧。』老主任說：『用不著留清樣，出書時社裏每人會送一本。如果你還要的話就找我，每個責任編輯，社裏會發二十本樣書。』

正的歷史小說嗎？怪不得不少讀者誇說，讀歷史小說，看書名，怦然心動，讀目錄，激起購買欲，在買下後回家仔細閱讀時，讀者竟然索然無味，這裏的關鍵，是作者沒有將讀者帶進他所想要去的那個時代，而所以沒有走進，其中的主要一點是缺乏歷史氛圍。作家的內力深厚，在書中營造真實的歷史氛圍，才有了靈魂！

從編輯《曾集》到寫曾國藩

我是「文革」前最後一屆大學生，讀的是水利工程，畢業後一直在水利部門工作，但我個人的興趣是喜歡文學、歷史等人文學科，所以，在「文革」結束，恢復研究生制度後，我在一九七九年考入湖南師範學院中文系古典文學專業，於是由工科生變成了文科生。一九八二年研究生畢業，分配到湖南長沙市岳麓書社。那時岳麓書社由湖南人民出版社分出來建社才半年，全部人馬加起來，也就十幾個，大家在一間大辦公室上班。另外在不遠處新華社湖南分社的招待所裏租了一間約十平方米的小房子，我就住在這裏。用一個大書櫃將房間分為前後兩部分，我在後半部分搭一張單人床，擺上一張書桌，一把椅子，就算安頓下來了。前半部分則是書稿編輯工作室，因為有書櫃隔着，我坐在後面，有一種擁有獨立空間的感覺，心裏很安寧。到十一點，這間辦公室便是我的一統天下，更覺十分滿足。我從小愛讀書，現在天天與書籍打交道，又可以讀上不少古書名作，這工作太好了！

主任是個待人和氣的老編輯，他那時正在看《古文觀止》譯注的清樣。《古文觀止》是我一直很想讀卻找不到的書，現在它的書稿居然就在眼前，我很高興，對主任說：「您打清樣時多打一份，把這一份送給我吧。」主任說：「用不著留清樣，出書時杜某等人會送一本。如果你還要的話就找我，我的責任編輯杜某會送二十本樣書」

我聽了這話後簡直驚喜極了。這就意味，我今後不用花錢，就可以得到很多書。編輯這個職業居然有這麽好！

我非常高興做一名岳麓書社這個以出版中國傳統文化書籍爲職志的古籍社的編輯，我以滿腔熱情投入自己的工作。

編輯這兩個字，在我的心裏一直有很高的地位。我們民族的至聖先師孔夫子就是中國的第一個大編輯。老夫子一生述而不作，整理編輯《詩》《書》《春秋》，論對中華文化的貢獻，没有哪個人能超過他。歷史上，有許多著名的編輯，如編《文選》的昭明太子，編《唐詩三百首》的蘅塘退士，編《古文觀止》的吴氏叔侄，編《古文辭類纂》的姚鼐等等。他們的貢獻，并不亞于一個有成就的學者、作家。近代許多文化名人，都做過編輯，如張元濟、梁啓超、李大釗、陳獨秀、胡適、魯迅、葉聖陶、梁實秋、巴金等。當代編輯中，也有不少文化名人，如張恨水、張友鸞、金庸、高陽、林海音、王鼎鈞、巴人、楊伯峻、周振甫、韋君宜、傅璇琮、沈鵬等等。我想，我既然做了編輯，就要以他們這些人爲榜樣，做一個優秀的編輯，做一個對文化事業有貢獻的編輯。

做一個好編輯，首先得編好書。

岳麓書社當時制定了一個龐大的湖南地方文獻與古籍的整理出版計劃，開列從古代到新中國成立前的兩千多種湘籍人士的著作，擬陸續出版，其中特别引人注目的是六大全集，即王船山、魏源、曾國藩、左宗棠、王闓運、王先謙六個人的全部文字。這是六個浩大的文化工程。

我很認同這個出版計劃。第一，歷經多年劫難後，有許多好書已極難找了，現在重印，可以爲讀者提供方便。第二，從古到今，書籍浩如烟海，絶大部分其實没多大價值，亟需人作一番清理。把那些經受了時間考驗的有意義的書挑選出來，重新印刷，以便引起讀者注意，既造福當代，又可將它們引入人類文化長河中。第三，趁著大劫之後，還有一批宿學老成者健在，給他們創造一個傳遞文明薪火的平臺。總之，這是一樁功德無量的事。我向社領導主動請纓：我願意來做這件事。

這件事，説起來人人都認爲是好事，但是做起來畢竟太枯燥乏味，且極耗時日，許多編輯并不願意參加。于是我的主動請纓很快便得到批准，而且做的是六大工程中最重要的一項，即做新版《曾國藩全集》的責任編輯。我很感謝社領導對我的器重，把這樣一個重擔交給我。這個信任，促使我以極爲高昂的熱情投入工作。

説起我將從事的這個工程，的確非比一般。

首先是曾國藩這個人不一般。他出身一個普通的農民家庭，靠自己的努力一步步走進了朝廷的權力圈，然後又以文職官員的身份，白手起家組建一支軍隊，平定太平天國，改寫歷史。他不但立功，而且立德立言。百餘年來，他幾乎是所有平民子弟的勵志榜樣，尤其備受政治家的敬重。梁啓超認爲他不僅是中國有史以來數一數二的大政治家，也是全世界數一數二的家的故事，發表過甚多，不僅是中國有史以來數一數二的大政治家，也是全世界數一數二的大人物。他不但立功，而且立德立言，百餘年來，他幾乎是所有平民子弟的勵志楷模，尤其偉文政治領在的精力圖，然後又以文職官員的身份，白手起家組建一支軍隊，平定太平天國，改寫歷史。

首先是曾國藩這個人不一般。他出身一個普通的農民家庭，靠自己的努力一步步走進了

說起文將從事的這個工程，的確非比一般。

這個信任，促使我以極高的熱情投入工作。

即做新版《曾國藩全集》的責任編輯。我很感謝社領導對我的器重，把這樣一副重擔交給我。輯，並不願意參加。于是我的主動請纓很快便得到批准，而且我做的是六大工程中最重要的一項。

這件事，說起來人人都認為是好事，但是做起來畢竟太枯燥，且需費時日，許多編

我願意去做這件事。

給他們的后一個傳承文明的大的平臺。總之，這是一樁功德無量的事，我向社領導主動請纓。

凝聚當代，又可將古代的人文數化長河中。第二，這套書出版之後，造福於當世，功在千秋。

作一番清理，把那些含有文化精神和教育意義的書挑選出來，重新印刷，以便引起讀者注意。

可以為讀者提供方便。第二，從古到今，書籍浩如煙海，絕大部分其實沒有多大價值，一般讀書人找不到門徑。這個計劃，第一，經過幾千年的積累後，有許多好書已經散失了，或者很難再印。

王船山、魏源、曾國藩、左宗棠、王闓運、王先謙六個人的全部文字，這是六個大的文化工程。

今月孤燈

中國成立前的一百多年間，湖南人士的著作，都陸續出版。其中特別引人注目的是六大全集明后這套書在當時制定了一個編纂大的湖南地方文獻與古籍的整理出版計劃，開列從古代到清末

做一個好編輯，首先要編好書。

有貢獻的編輯。

我想，我既然做了編輯，就要以他們這些人為榜樣，做一個出色的編輯，做一個對文化事業

張元濟、金庸、高陽、林語堂、王雲五、巴人、胡風、周揚、秦牧、聶紺弩等。

陳獨秀、胡適、魯迅、葉聖陶、梁實秋、巴金等。當代編輯中，也有不少文化名人，如張恨水、

近于一個有成就的學者、作家，許多文化名人，都做過編輯，如張元濟、李大釗、

的蘅塘退士，編《古文觀止》的吳氏叔侄，編《古文辭類纂》的姚鼐等，他們的貢獻，并不

沒有哪個人說過他們在文化史上，有許多著名的編輯，如編《文選》的昭明太子，編《唐詩三百首》

第一個大編輯。孔夫子一生述而不作，整理編輯《詩》《書》《春秋》，論對中華文化的貢獻

編輯這兩個字，在我的心裏一直有很高的地位。我們中國最早的至聖先師孔夫子就是中國的

滿懷激情投入自己的工作。

我非常高興做一名出版社這個以出版中國傳統文化書籍為職志的古籍社的編輯。我以

們畢業后，我然有這樣好，

我面一言未發，諸于人靈古籍，了一聲，這頭意味，我之來不理不發，但可以得到很多書。編輯后

大政治家。蔣介石以他爲榜樣，毛澤東説『愚于近人，獨服曾文正』。但同時，也有人説他是漢奸、賣國賊、劊子手，阻擋歷史車輪前進的反革命頭子。評價上的反差之大，歷史上少有人可比。

其次，老版《曾國藩全集》影響很大。曾氏死後不久，由李鴻章兄弟等人組織編輯刻印的《曾文正公全集》即問世，該書可謂近代個人全集中影響最大的一部。蔣介石將它隨身携帶，走到哪裏帶到哪裏。毛澤東也很喜歡讀它，至今韶山故居還保存著四本綫裝版曾氏家書，每册左下角都有『潤之珍藏』四個端正的楷書。梁啓超從中摘取數百條語録，編輯成一本《曾文正公嘉言鈔》。蔡鍔則據此編輯《曾胡治兵語録》，作爲他的部隊的教科書。

最主要的，是我們要编的新版全集，很有傳奇性。

曾氏是一個檔案意識極强的人，他的所有文字包括家書、日記這種私密文字都留有副本。戰争年代，每隔一段時間，他要派專人將他的副本，從前綫護送到老家保存。他死後，這些文書檔案成了曾氏家族的鎮宅之寶，世代典守，秘不外示。新中國成立前夕，他的第四代嫡孫寶蓀、約農姐弟將其中的一部分手迹，輾轉帶到臺灣，大量的文件則依舊留在曾氏老家富厚堂内。新中國成立後，曾氏家族的一切財産都被没收，充作公産。房屋、田地、古董以及室内的所有家具擺設都成了搶手貨，唯有書籍和文書檔案無人要，被堆放在富厚堂内的磚坪裏。擱了一段時期後，有人建議，乾脆一把火將這些反動的材料燒掉了事。正在這時，省裏的有

關人士知道了，决定將這批東西運到省會長沙來，交給湖南圖書館的前身中山圖書館保管。那時正是激情燃燒的時代，圖書館没把這批東西當回事，隨便找了一個不起眼的小屋子堆放著，然後一把鎖，將它們緊鎖起來，從此無人過問。後來，大家也就慢慢將此事給遺忘了。

不料，這種待遇恰恰保護了這批材料。到了『文革』時期，在『破四舊』的狂熱中，正是因爲被遺忘，這批材料纔僥幸逃脱那場劫難，被意外地完整保留。

上個世紀八十年代初，中國重返正途不久，中央便成立了古籍規劃整理出版領導小組，各省也陸續成立了相應機構。在湖南古籍規劃整理出版小組的領導下，學術界和出版界聯手，對湖南近代歷史文獻作了調查清理。于是，塵封湖南圖書館三十年的曾氏舊檔得以重見天日。學者們將這些材料與光緒年間的刻本《曾文正公全集》一比較，發覺有很多没有收進來。當時的全集，其實是一部選集。大家都認爲，很有必要以這些檔案爲基礎，再將臺灣上個世紀六十年代影印的《湘鄉曾氏文獻彙编》合起來，出一部新版曾氏全集。上報國務院古籍規劃整理出版領導小組，得到批准，于是便有了這樣一個項目。

然而，要將這個計劃變爲現實，却是一件很不容易的事情。首先得組織一個隊伍。明明是一件好事，但學者老師們對此積極性不高。主要原因是高校、社科院不將古籍整理視爲科研成果，在評職稱、晋級、獲獎這些方面都不起作用，他們做此事，除一點微薄的整理費之外，没有其他功利性的收穫。好不容易從三四個單位組織了二十餘人的專家隊伍，因爲種種原因，

又不能產生出一個主編來。于是，所有的聯絡、協調，甚至包括全集體例的統一等事情，便都落在出版社的身上，具體來説就是落在我這個責任編輯的頭上。當時的我，因爲無知也便無畏，毫不猶豫地就充當起這個角色來。

再就是繁重的清理複印工作。那時岳麓書社没有汽車，我把社裏唯一的影印機搬到板車上，與一個小夥子合作，一路顛顛簸簸地把影印機拖到省圖書館。社裏派出另一個同志做複印員。從那以後，我每天進庫房，把那些百多年前的曾宅老檔都清點出來，因年代久遠，保存不當，發黄發黴，脱落，腐爛，蟲蛀的文檔很多，得一一將它們處理歸置，然後交複印員一張張地複印。天天如此，風雨無阻，就這樣三個多月下來，將除奏稿外的藏件全部複印下來。幸而當時圖書館無市場意識，没有專門因此事收費，如果按照後來圖書館的規定，資料費便將是一個天文數字。我們無法籌集到這筆巨款，結果當然是這個事情便不會做了。

爲了真實地感受曾集的深淺，我自己先來做曾氏家書的整理校點。我在省圖藏件、光緒年間刻本、臺灣影本的基礎上整理出的曾氏家書近百萬字，分爲上下兩册，爲方便讀者閱讀，我爲每封家書寫了提要，又在書後附上人名索引和内容主題索引。一九八五年十月，這兩册家書作爲新版《曾國藩全集》最先推出的部分，由岳麓書社出版了。正當我捧著新書欣賞的時候，一件意想不到的事發生了。一天，《湖南日報》突然在重要版面上登出一篇文章，標題好像（我記不大準確了）是《爲誰樹碑立傳》。這是一篇標準的『文革』文章：居高臨下的氣勢，貌似堂堂正正的大道理，飽含著階級感情，充滿著火藥味，語氣格外尖刻。文章指責岳麓書社爲什麽要給一個反革命頭子樹碑立傳，許多革命老前輩都有家書，你們爲什麽不出？『文革』纔過去不到十年，這樣的文章令人心驚肉跳。最令人害怕的是，它或者有背景、有來頭！當天夜裏，我便到了主管出版的一位省委宣傳部領導家裏詢問此事。那位領導説：『這多半是個人意見，不可能有什麽背景與來頭。出版曾國藩的全集，是經過國務院古籍規劃整理小組批准的，不要動摇。』

好在接下來并没有後續的文章，也没有接到來自領導部門的所謂打招呼的話，我的心纔慢慢安定下來。不久，美國紐約《北美日報》發表了一篇題爲《還歷史以本來面目》的社論，專門祝賀中國出版《曾國藩全集》，説出版此書是，『朝著正確對待歷史的方嚮跨出了可喜的一步』，『是中國文化界人士的思想突破了一大禁區的標志』，『其重要性完全可以和中國發射一枚新的導彈或衛星相比擬』。這事讓湖南出版界很興奮，也讓參與整理的學者專家們受到鼓舞。過些日子，我寫的《曾國藩對人才的重視與知人善用》一文，被中組部舉辦的第三梯隊培訓班選作課外重點參閱論文。此事也成爲整理出版《曾集》的一個正能量。

我的這篇文章，其實是遵省委組織部之命而寫的，我實事求是地寫了曾國藩在識人用人方面的一些成功經驗。這事給我以啓發，現在已到了可以客觀科學對待歷史的時候了，衹要是抱著這種態度研究歷史，是可以得到社會認可的。在整理校點曾氏家書的過程中，我已經又不能產生出一個主意來，于是，所有的錯誤、[illegible]甚至包括全集體例的統一等事情，使都落在出版社的身上，具體來說就是落在我這個責任編輯的頭上。當時的我也，因為無異，毫不猶豫地[illegible]

再說是繁重的清理[illegible]工作。那時出版社沒有汽車，我把什麼事都[illegible]放在車上，[illegible]

與一個小組十分合作，一路順暢地[illegible]

從那以後，我每天[illegible]

發黃發霉，[illegible]

天天如此，風雨無阻，[illegible]

書館無意識，沒有專門[illegible]資料甚是[illegible]

文數字。我們無法[illegible]

家書作為新版《曾國藩全集》最先推出的部分，由岳麓書社出版了。正當我[illegible]的時候，一件意想不到的事發生了。一天，《湖南日報》突然在重要版面上登出一篇文章，標題好像（我記不大準確了）是《為湘軍翻案立傳》。這

今月派

[illegible]

的氣勢，給以當年正正的大道理，[illegible]

責任編書社為什麼要[illegible]

有來頭，[illegible]

出，[illegible]最令人害怕的是，[illegible]

多半是個人意見，不可能有什麼[illegible]

理小組[illegible]

實際性有[illegible]

讚歎究竟來，不久，美國出版的《北美日報》發表了一篇[illegible]

專門就讚賞中國出版《曾國藩全集》，說出版此書是「一的舊主旗幟性地開了歷史的方面講出了可喜」

的一步「」，是中國文化界人士的思想突破了一大禁區的標誌」，「其重要性完全可以和中

國發射一枚新的導彈並論」。這事讓湖南出版界很興奮，也讓參與整理的學者事家

們受到鼓舞。過些日子，我寫的《曾國藩論人才的重視與培養》一文，被中組部與紀

第三條原則是選作[illegible]論文。此事也成為整理出版《曾集》的一個重

我的這篇文章，其實是遵命之作，當年曾國藩在識人用人

方面的一些成功經驗。這事給我以啟發，現在已到了可以客觀科學對待歷史的時候了，祇要

是有客這種態度研究歷史，是可以得到社會認可的。在整理古籍的過程中，我已經

四一〇

四〇六

不知不覺地走進了曾氏的世界。説實在話，在先前我對于曾氏并不瞭解，衹是從教科書上知道他是一個大反面人物。這段時期多次仔細閱讀他的一千多封寫給家人的書信，我發現他信中所講的許多觀念與我的思想相吻合，我很自然地能接受他講的那些道理。他的有些話甚至讓我震撼。比如他對他的兒子説：『若農夫織婦終歲勤動，以成數石之粟數尺之布，而富貴之家終歲逸樂，不營一業，而食必珍饈，衣必錦綉，酣豢高眠，一呼百諾，此天下最不平之事，鬼神所不許也，其能久乎？』曾氏這一段話不是在宣傳革命理論嗎？身處他的地位，能將世事看得這樣通透，説明這個人非比一般。

我決定，向前輩學習，不僅僅衹伏案看稿、改正錯別字，而且要獨立研究，做一個有學問有思想的優秀編輯家。我從此開始一邊編輯曾氏全集，一邊潛心于近代史與曾氏的研讀中。我的編輯工作逼迫我必須一字不漏地啃讀曾國藩本人所留下的一千多萬字的原始材料。這種笨拙的讀書方式，讓我看到歷史的許多細微末節。而這，往往被不少以研究爲主業的歷史學家們所忽視。我在學術刊物上發表了十多篇研究曾氏的文章，引起了學界的注意。在《曾國藩非漢奸賣國賊辨》這篇文章裏，我提出曾氏不是漢奸賣國賊的觀點。文章在《求索》雜志上發表後，立即被美國《華僑日報》摘要刊載。文章發表至今已有二十七年，沒有見到反駁的觀點。可見學界基本上是認同我的這個看法的。在全方位地研究曾氏這個人後，我有一個認識：曾氏既非十惡不赦的反面人物，也不是一代完人式的聖賢，他其實是一個悲情色彩很濃厚的歷史人物。他在晚清那個時代身處政治軍事的中心旋渦，却一心想做聖賢，一心想在中國重建風俗淳厚的理想社會，這就注定了他的悲劇性。細細品味他留下的文字，可以發現他的內心深處是悲凉的、抑鬱的，他的苦多于樂，憂多于喜。這種强烈的悲情氛圍，要遠遠超過他的那些風光榮耀的外在表現。

在一九八六年，也就是我進入四十不惑的年代，我作出了一個在當時看來是很大膽的決定：寫一部以曾氏爲主人公的長篇歷史小説。之所以以小説的形式而不是以評傳的形式來寫，是基于以下幾點：

一、藉文學元素可以走進人物的精神世界，由此可以將人物寫得生動鮮活，儘可能接近我心目中的那個人物原型。二、讀者喜歡讀文學作品，書的發行量會比較大，我的努力所能够獲得的認可面也會大一些。三、我在青少年時代極想做一個作家，我要藉此圓我的作家夢。我的這個設想，得到湖南文藝出版社《芙蓉》雜志部編輯朱樹誠主任的支持，他鼓勵我把書寫好，今後就由湖南文藝出版社來出版。從那以後，我上班時間編《曾國藩全集》，其他時間寫曾國藩小説。每天寫作到凌晨一兩點。我沒有星期天，沒有節假日，沒有任何應酬，除開睡覺外，也沒有任何休息的時間。我甚至連天氣變化時序推移的感覺都已不存在。爲了獲取儘量多的時間，我堅決辭掉了副總編輯的職務。我當時已不年輕了，我有一種時間上的緊迫感。

經過三年多的日夜兼程，我寫出了百萬字的初稿。到了將書稿交給湖南文藝出版社，正不由不覺地走進了曾氏的世界。說實在話，在先前我對于曾氏并不瞭解，只是從教科書上知道他是一個大反面人物。這段時期多次仔細閱讀他的一千多封寫給家人的書信，我發現他信中所講的許多觀念與我自己的相合，我很自然地能接受他所說的那些道理，他的有些話甚至讓我震撼。比如他對他的兄弟說：「一有富大貴念頭，[illegible]以成敗論之，果報之大，而富貴之家，[illegible]不害一禾，而會心之處，不必遠求，[illegible]一世吉祥，此乃[illegible]最不平之事，當事所不許也。」其實六年之中，曾氏這一段話不是在講高深的理論，而是在講他的處世經驗，說事情通情透徹，說明這個人對人生比一般[illegible]

我決定，向前輩學習，不僅僅[illegible]，而且要獨立研究，做一個有學問有思想的曾國藩研究家。我[illegible]近代史與曾氏的研究中[illegible]的編輯工作過程我必須一字不漏地審閱曾國藩本人所留下的一千多萬字的原始資料。這種精細的讀書方式，讓我看到歷史的許多細微末節，而這些往往被以研究曾氏為主業的專家學家們所忽視。我在學術刊物上發表了十多篇研究曾氏的文章，引起了學界的注意。在《曾國藩非漢奸賣國賊》這篇文章裏，我提出曾氏不是漢奸賣國賊的觀點。文章在《求索》雜誌上發表後，立即被美國《華僑日報》兩次刊載。文章發表至今已有二十七年，沒有見到反駁的觀點，可見學界基本上認同我的這個看法的。在全方位地研究曾氏這個人後，我有一個認識：曾國藩既非十惡不赦的反面人物，也不是一代完人式的聖賢，他其實是一個悲情色彩濃厚的歷史人物。他在晚清那個時代身處政治軍事的中心漩渦，却一心想做聖賢，一心想在中國重建風俗淳厚的理想社會，這就注定了他的志向與現實的矛盾。細細品味他留下的文字，可以發現他的內心深處是苦澀的，他的苦多于樂，憂多于喜，帶有強烈的悲情色彩。要透過他的那些風光榮耀的外在表象。

在一九八六年，也就是在進入四十不惑的年代，我作出一個在當時看來是很大膽的決定：寫一部以曾氏為主人公的長篇歷史小說。之所以選擇小說的形式而不是以評傳的方式來寫，是基于以下幾點：

一、借文學元素可以走進人物的精神世界，由此可以將人物寫得生動鮮活，盡可能接近我心目中的那個人物原型。二、讀者喜歡讀文學作品，書的發行量會比較大，我的努力所能獲得的認可面也會大一些。三、我在青少年時代確曾想做一個作家，我要藉此圓我的作家夢。

我的這個設想，得到湖南文藝出版社《芙蓉》雜誌編輯部主任的支持，他鼓勵我把書寫好，今後就由湖南文藝出版社來出版。從那以後，我一直在業餘時間審閱《曾國藩全集》，其他時間寫曾國藩小說。每天寫作到夜晚一兩點。沒有星期天，沒有節假日，沒有任何應酬，除開睡覺外也沒有任何休息的時間。我甚至連天氣變化、時序推移的感覺都已不存在。為了獲取盡量多的時間，我堅決辭掉了副總編輯的職務。我當時已不年輕了，我有一種時間上的緊迫感。

經過三年多的日夜兼程，我寫出了一百萬字的初稿。我將書稿交給湖南文藝出版社，王式討論出版事宜時，長期來心中的最大顧慮，便立即成了最大的攔路虎。這個最大的困難不是別的，恰恰就是曾國藩本人。湖南剛剛因爲出版了《蔣介石秘録》一書而受到很大的衝擊，現在又冒出在很長時期裏被主流視爲蔣一個系統的大人物來，很多人認爲不能冒這個險。選題多次申報不能通過。直到一九八九年底，湖南省出版局换了新局長，我本人向這位新來的陳滿之局長當面陳述兩個多小時。局長終于表態：衹要没有政治問題，又不是誨淫誨盜，可以考慮出版。新局長要求每個局黨組成員都看一遍書稿，并且簽字表態。這樣慎重地對待一部書稿，過去從來没有過。書稿終于進入正式出版流程。

還在湖南出版界態度不明朗的時候，我請我的父親與臺灣出版部門聯繫。臺灣黎明文化公司很快表示願意出版。我請人用繁體字謄寫一份，托回鄉探親的臺胞帶去臺灣。一九九〇年八月，臺灣黎明文化公司出版《曾國藩》的第一部。三個月後，以《血祭》爲書名的大陸版《曾國藩》第一部也在湖南文藝出版社出版。没有想到的是，第一部出版後引發的社會反響，大大地出乎人們意料之外。這部書首先在校對室裏便招來一片叫好。出版後，來出版社買書、要書的車水馬龍。當時印書的新華二廠在邵陽市，因爲供電緊張，常常停電。工廠要求供電所供電，所裏的人便説，你們拿《曾國藩》來，我們就供電。連文藝社從不讀書的門房，都想請責任編輯送他一本書。我得知後很感動，立即自己拿出一本來簽上名，親自送給這位工人師傅。

從第二部開始，局黨組不再集體審稿了，發稿一事完全由湖南文藝社做主。一九九一年，第二部《野焚》出版，一九九二年第三部《黑雨》出版。幾乎與此同時，臺灣也推出了黎明版的第二部、第三部。那幾年，社會上廣泛流傳兩句話：『從政要讀曾國藩，經商要讀胡雪岩。』這兩句話爲小説《曾國藩》做了很好的廣告宣傳，同時也推動了岳麓書社版的《曾國藩全集》的發行。一九九五年，《全集》第一次整體推出，便印了八千套，半年後又印了五千套。三十本的歷史人物的全集，兩年内發行一萬三千套，這種情况很少見。不但社會喜歡，這部書還得到學界的認可。《辭海》第六版專爲岳麓書社版的《曾國藩全集》立了一個詞條。

這之後，我策劃《胡林翼集》《彭玉麟集》《曾國荃全集》，并擔任這幾部書的責任編輯。這幾個人都是當時湘軍中的高級將領。他們的文集，無疑是研究那一段歷史的重要史料。作爲一個編輯，我不想四路出擊，到處開花，我把目光鎖定在一個比較小的範圍。這個小範圍，一是湖南，二是近代。我認爲，這樣做，無論是對出版社，還是對我個人，都是有利的。編輯雖説是雜家，但也不能太雜，雜中還得有所專。太雜必流于淺薄，有所專纔能走向深厚。

在這個過程中，我繼續業餘時間的歷史小説創作，寫了《楊度》與《張之洞》兩部書。這兩部書的時代背景也框在近代。所以，這三部書被人們稱之爲『晚清三部曲』。

寫完《張之洞》後，時間已進入二十一世紀。這時，『曾國藩』這個人和有關他的圖書已變得很紅火了。有人對我説過，曾國藩成了僅次于毛澤東的近代紅人。但是，在看似熱熱鬧鬧的圖書市場裏，却隱藏著兩個很突出的問題：一是這些圖書絶大部分顯得淺薄，互相抄

閱讀的圖書市場裏，却隱藏着兩個很突出的問題：一是這些圖書絕大部分顯得淺薄，互相抄
已變得很熟了。有人甚至說過，曾國藩成了僅次於毛澤東的近代名人。但是，在有的熱熱

寫完《張之洞》後，時間已進入二十一世紀。這時，「曾國藩」這個人和有關他的圖書
這兩部書的時代背景往往在近代。所以，這三部書被人們稱之為「晚清三部曲」。

在這個過程中，我讀了美國時間的歷史小說創作，寫了《楊度》與《張之洞》兩部書。
論輯雖說是雜文，但也不能太雜，雜中還得有所專。太雜必流於支離，有所專才能立自家風
圖，一是湖南，二是近代，三是小說。這樣做，無論是對出版社，還是對作家個人，都是有利的。

這幾個人都是當時湖南的重要人物，他們的文集，無疑是研究這一段歷史的重要史料。
作為一個編輯，我不想因為出書，到處開花。我把目光鎖定在一個比較小的範圍，這也是我這部書的責任。

這之後，我又編輯了《胡林翼集》《左宗棠全集》《曾國荃全集》，並擔任這部書的責任編
輯。[illegible]《曾國藩》第六版，[illegible]嶽麓書社出版的《曾國藩全集》立一個規矩。
本的選本中人物的全集，兩年內就有一百三十多萬字，這個規模在當時少見。[illegible]
的第一部，一九八五年，《全集》第一本在嶽麓書社出版了；八年後，[illegible]
這兩部小說《曾國藩》做了很好的宣傳。同時也推動了嶽麓書社出版的《曾國藩全集》
版的第二部，第三部。[illegible]
第一部《野焚》出版。一九九二年第三部《黑雨》出版。幾乎與此同時，臺灣也推出了繁體版的

[illegible]一九九一年
他一本書。我很受感動，立即自己拿出一本來簽上名，[illegible]
[illegible]
人們意料之外。這部書首先在學術界，接着在社會上引起反響，[illegible]
[illegible]臺灣黎明文化公

司，很快表示願意出版。我請人用繁體字謄寫了一份，在同年末將書稿寄去臺灣。一九九〇年八月，

這在當時兩岸出版界，實屬不明朗的情況。我請我的文友與臺灣書商聯繫，臺灣黎明文化公
部書稿，過去從來沒有通過，書稿接連干進入正式出版程序。
以本書出版，[illegible]書稿。並且發了字表態。這一
陳滿之後，局長當面陳述兩個多小時，最後以若干表態，許多沒有政治問題，又不是違法禁止，可
題多次由[illegible]不宜通過。直到一九八九年底，湖南省出版局換了新局長，我本人向這位新來的
現在文[illegible]有一個系統的大人物來看，很多人認為本不能寫這個人物。過
是湖南的，恰恰是曾國藩本人。湖南人則因為出版了《蔣介石傳》一書而受到很大的衝擊。
文詞論出版事宜。長期來心中的最大顧慮，便是因此成了最大的禍事。這個最大的困難不

襲；二是這些圖書感興趣的是權謀機巧一類的低層次的『術』，對于曾氏身上所體現的中國傳統文化中的『道』，或忽視或淡化或歪曲。作爲『曾國藩熱』的始作俑者，我的心情頗爲壓抑。我覺得我有責任爲曾氏做一些正本清源的事。于是，我從《張之洞》出版後就明確表示，我今後不再寫長篇歷史小説，而是做點別的事。

這個事中的最主要一部分便是寫『評點曾國藩』系列。確切地説，『評點曾國藩』是評點曾國藩的文字。二〇〇二年推出『評點』系列的第一部『評點家書』，以後陸續推出『評點奏摺』『評點梁啓超輯嘉言鈔』。對這三部評點，我的寫作宗旨是：以走進曾氏心靈爲途徑，以觸摸中華民族文化的底蘊爲目標。作爲一個文化人，我認爲這纔是研究曾國藩的正路子。從二〇〇七年到二〇一一年，我又花了整整四年的時間對十多年前的《曾國藩全集》做了一次全面的修訂。爲什麼要修訂？這是基于以下三個主要原因。一、這十多年來又發現了一些曾氏文字，特別是臺灣出版的臺北『故宮博物院』所收藏的曾氏奏摺，爲數不少，很有補充進去的必要。二、上個世紀九十年代所出版的全集存在著不少差錯與問題，很有改正改善的必要。三、由湖南省政府出資的《湖湘文庫》將《曾集》列入其中，提供了一個全面修訂的好機會。

作爲《曾集》的重要參與者，這十多年來，我一直爲當年因爲人員衆多、政出多門而造成的不少差錯而深存遺憾。現在能有這樣一個機會來彌補，且可以增加許多新內容，這是一件太好的事了。我立馬中斷『評點』系列的寫作，全身心投入到修訂版的工作中去。二〇一一年

十一月，在曾氏誕生兩百周年的紀念會上，舉行了隆重的修訂版首發式。看著用紅綢帶包扎的三十一冊修訂版全集，我心裏長長地舒了一口氣，感覺基本上可以無憾于讀者、無憾于子孫了！

二〇一二年，『評點』系列的第四本『評點日記』問世。第五本『評點書信』、第六本『評點詩文』也在二〇一三年下半年相繼推出。二〇一四年，我把這六本評點合起來，再做一些增刪修改的工作，以《評點曾國藩選集》的書名整體推出，爲有興趣的讀者提供一個方便的讀本。這時，我已整整七十歲，我將以輕鬆心情退休，結束三十四年的編輯生涯。

自從上個世紀八十年代進入岳麓書社，我就常常想著這樣一個問題，我的職業成就體現在哪裏，或者説，什麼是我的職業追求？

我認爲傳承人類優秀文化遺産，積纍當代文明成果，應是出版社的最主要的職能，至于獲得多高的經濟收入，創造多大的利潤價值，則是對這個職能履行程度的回報之一，而不是衡量它的最重要的指標。具體到我自己，一個古籍出版社的編輯，其立足點則要落在傳承中華民族的優秀文化遺産上，把古代的知識、技能，把古人的感悟、體驗傳承給今人，這其中最爲重要的是古人的智慧。一個當代的古籍編輯，要有一種意識，即如何能讓今天的讀者更方便地接受這一切。所以，我後來慢慢地將這一思想形成爲八個字，即傳承智慧、打通古今。

智慧，本是人類的高端成果，但其中仍然有低層次與高層次之分。低層次的智慧是可以用文字來表述的。這些年來，我也應邀講過一些課，其中有一個課程就叫作《曾國藩的人生智慧》。

我寫曾國藩的『評點』系列，也是把很大的心血用在挖掘曾氏的處世爲人的智慧上，至于我編輯的二曾、胡、彭等人的文集中，自然也蘊含著作者許多的智慧在內。至于高層次的智慧，則不是文字或語言所能表達的。大家都知道輪扁斫輪的故事。出于《莊子》一書的這個寓言，實際上説出了人世間一個最大的真理，即文字與語言本身的局限性，衹不過輪扁的古人之糟粕那一些話，説得太過激、太情緒化而已。許多年後，岳飛所説的『運用之妙，存乎一心』，則以平和的心態把這個感悟説得直白而爲人們所理解和接受。

那麽，高層次的智慧還能傳承嗎？如果能，它會以什麽方式傳承呢？我認爲，人類的高層次的智慧一定是能够傳承的，但不以文字或語言的形式來直接傳遞，而是隱藏在杰出人物對世事的具體處置上。善于觀察和思索的人將此化于自心，心領神會而隨機運用。我之所以要傾注自己的幾乎全部心血去寫三部歷史人物的小説，其主要的目的就在這裏。我希望藉助文學元素來再現歷史上那些杰出人士的所作所爲，讓有心的讀者從中去琢磨去感悟那些高層次的智慧。

三十多年來，我走過一條從文獻整理到文學創作，再到文本解讀的道路，看起來扮演了編輯、作家、學人三個角色，其實我一直立足在編輯這個崗位上。上個世紀八十年代，出版界提倡做作家型編輯、學者型編輯，我很認同這個倡導。這些年來，我的一切努力，實際上不過是朝著作家型編輯或學者型編輯的方嚮努力罷了。

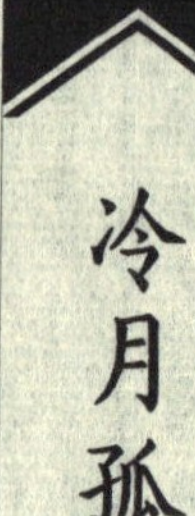

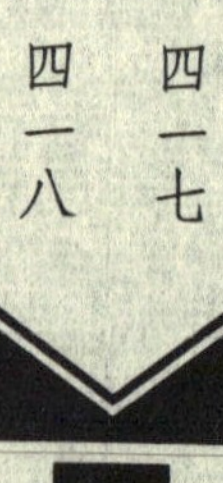

富厚堂的藏書樓

近二十年來，我已記不清多少次去過富厚堂了。富厚堂位于衡山餘脉高嵋山旁，清亮的涓水從它的身邊流過，呈一字形的主體建築横卧在偏僻的湘中農田間，儘管衹是兩三層高的磚木結構，樸素得没有任何雕梁畫棟，但布局講究，莊重大方，加之儀門上方的『毅勇侯第』金字豎匾，于是便有一股威嚴閎闊的氣象，顯示出不同凡俗的器宇。人們習慣地將富厚堂稱爲曾國藩故居。

其實，同治五年由其弟督造的這座樓房，曾國藩本人連面都没見過，甚至對它的興建，他也不贊同。曾氏一向以儉樸持身治家，雖然貴爲一等侯，官拜大學士兩江總督，却一再告誡家人要保持寒士家風。得知建富厚堂花去七千串錢，他『深爲駭嘆』，『何顔見人』！七千串錢折合銀子不到六千兩，不及他年底養廉費的一半。他竟然如此不安，可見儉樸確爲他的本性。而今正門上的『富厚堂』三個字是照他的日記摹寫的，看來，他未給樓房正式題過字。這説明在他的心裏，始終没有接受這座讓他的鄉人引以爲榮的侯府。

然而，曾國藩是真真切切地存在于富厚堂的。他存在于富厚堂的裏裏外外，存在于它的每一間房子每一個角落，乃至于庭院裏的每一叢花草每一片竹葉。這裏的確是曾國藩的故居，是他永久的栖息之所，因爲這裏安頓的是他的靈魂。

他的靈魂，不是伴隨著軀體，而是伴隨著他晚年親自檢點過的畢生所寫的奏章、書信、詩文和日記，伴隨著他終生喜愛的書籍，在同治十一年那個草長鶯飛的暮春，由南京啓程，由輕舟托載，從長江進入洞庭湖，從洞庭湖進入湘江，從湘江進入涓水，然後穩穩當當地進了富厚堂。從那一刻起，曾氏靈魂便安息在富厚堂裏，日日夜夜陪伴著他的子孫後人。

他的家人深知這一點，將這批文檔和書籍視爲鎮宅之寶，專門修建正宅北端的藏書樓。藏書樓高三層，翹檐凌空，頗有幾分巍峨之姿。又禮聘專人管理，世代典守。後人見之如見祖宗，恭敬有加。曾家的文檔和書籍，後來不斷增加，于是又在南端興造一座藏書樓。據其曾孫寶蓀回憶：北端藏書樓名曰公記、樸記。公記收藏的是曾國藩的文檔、書籍。樸記收藏的是其長子紀澤的文檔、書籍，其中還有紀澤從國外帶回的英文法文書，以及顯微鏡、望遠鏡等。南端藏書樓名曰芳記，收藏的是其次子紀鴻夫婦喜讀的天文曆算、星卜醫相、小說等圖書。曾寶蓀說，這兩大藏書樓『乃富厚堂的精華所在』。在這個定居台灣的著名教育家晚年的回憶中，她童年時期最大的樂趣便是躲在藏書樓裏讀書。

每次來到富厚堂，我都會在藏書樓畔肅立良久，對它充滿著無限景仰之情，心裏想：曾氏家族人才輩出，連續五代都有杰出人物，是歷史上少有的五世不斬的官宦之家。其長盛奧妙或許就在這兩座藏書樓裏。黄庭堅説得好：萬卷藏書宜子弟。年年月月，這兩座藏書樓裏所散發出的書香，彙聚一股氣場，形成一個氛圍，好比杏花村、茅臺鎮上空數百年來積纍的

酒菌層使得該地釀出的酒特別好一樣，曾氏子孫在書香的氣場與氛圍中長大，也自然就非同尋常。

但後來，這些藏書連同曾氏父子的文檔，在富厚堂裏都看不到了。上個世紀四十年代末，富厚堂變爲公産。房屋和各種器具都是有用的，藏書樓的物件却没有人要。富厚堂的新主人打算燒掉省事。此事被省裏知道了，發下話來：將文檔和書籍運到長沙來。不久，這批文書被運到省圖書館。那個年代，從富厚堂裏出來的東西理所當然地受到冷遇：書籍被閑置，曾氏的文檔則被鎖進一間不起眼的小屋子裏，從此以後無人過問。『文革』期間『破四舊』，這批文檔因被遺忘而僥幸没有被燒。到了八十年代，國家走入正途，搶救近世史料成爲學界要務，有年長的學人記起這樁舊案。人們這纔發現，這批檔案的文字數量竟然是當年刻本《曾文正公全集》的三倍，便決定予以整理出版，于是乎有了一千五百萬字的《曾國藩全集》。

每次肅立在藏書樓畔，我心裏總不免有一點遺憾：若當年這裏的書籍和文檔都原封不動地保留下來有多好！然而今年夏天，當我隨同看婁底的全國各地作家，再次來到富厚堂時，面對著往來如織的參觀者、即將大興土木的荷葉山水以及文正書店裏陳列的衆多曾氏研究專著，心裏忽然有一番新認識：以曾氏的身份，富厚堂藏書樓中的藏件能躲過兩次劫難，已經是奇迹了。它們走出富厚堂，進入公衆圖書館，所發揮的作用應該更大。尤其是那批百年老檔居然還能得以全部整理出版，轟動海内外（美國報紙稱之爲『其重要性完全可以和中國發射一

要務。有年長的學人記起這樣的舊事：人們這樣發現，這批曾家的文字數量竟然是當年刻本《曾文正公全集》的三倍，據決定予以整理出版，于是有了一千五百萬字的《曾國藩全集》。

枚新的導彈或衛星相比擬』），從而引發一場方興未艾的曾氏熱潮，更是難逢難遇的文化幸事。如今的局面，豈不比藏于私宅秘不示人好過千倍萬倍！富厚堂的藏書樓應無遺憾。

父親的兩次流泪

父親突然間就永遠離開了我們，我的心情沉重而悲痛。父親享壽八十有五，我也過了知天命之年，然而從我出生到如今，我們父子相聚一起的時間不會超過一年，天底下這樣的情形并不多見。最近十年間我雖數度來臺，却因爲各種原因，停留臺灣的時間也不長。父親在我的心目中有著崇高的地位，我却不能説對他有深切的瞭解。在與父親短暫的相處中，有一個深刻的印象留在我的腦子裏，那便是父親的兩次流泪。

有一次在臺灣，晚餐過後，全家坐在餐桌邊，父親跟我們談起他的童年。父親在他四歲的時候，祖父便去世了。祖母帶著六個年幼的子女，守著幾畝薄田艱難度日。就在如此困厄的環境中，祖母依然咬緊牙關不讓幼子輟學。祖母的博大母愛和剛强性格，是父親清貧求學生涯中的巨大動力。後來又得到一位親屬的資助，父親終于完成了大學學業。

人們通常都把父母對兒女的恩德喻爲三春之暉，而祖母對父親的恩德，又遠過三春。父親真想好好地報答祖母天高地厚的恩情，却不料就在父親剛大學畢業還未工作時，祖母便撒手走了。父親呼天搶地，悲痛欲絶，却不能使他的慈母再睜開眼睛。五十多年後，父親已是年逾八旬的老人了，談起這段往事來，依然熱泪涔涔，泣不成聲。看著父親這一番母子真情，我也忍不住悄悄地流下泪水。

又一次在臺灣，我和父親隨意談論起我的小説《曾國藩》。父親一生不讀小説，讀我的小説算是例外，除開作者是他的兒子外，還因爲曾國藩是他心中的偶像。我們談得很愉快，父親臉上不時露出開心的微笑。後來，我談到湘軍打下南京後，曾國藩從安慶前往南京看望前綫總指揮、他的弟弟曾國荃。大勝之後的曾氏兄弟會面，與常人不同。大哥叫九弟撩起衣服，背上露出處處傷疤。大哥一面撫摸疤痕，一邊問如何負的傷，何時痊愈，現在還痛不痛。十多處傷疤，一一問到，不厭其煩，終于把九弟問得嚎啕大哭。大哥安慰説：哭吧，哭吧，當著哥的面，你把這些年的辛勞、委屈、痛苦都哭出來吧！我萬萬没有料到，就在我興致勃勃大聲説話的時候，對面的父親已是老泪縱横，情不能已了。我趕緊停了下來。

我記起父親上一次的流泪。我想：父親可能又想起了他的過去，想起他的母親、兄姊，想起他與兒女的長久分離，想起那些他常常覺得應該回報而無法回報的有恩于他的人。

父親供職政界，身處高位，又一向少言寡語，莊敬自持，情感不外露，常給人以淡于情的感覺，但從這兩次流泪中，我看出深藏于父親心中的綿綿親情和知恩報恩的善良天性。

鐵畫銀鈎憶秦孝儀

搬進新家時，我將秦孝儀先生送給我的一幅字，懸挂在二樓正對著樓梯的墻上。在長一尺六寬一尺三的紙面上，他書寫十個大字：風規弘既往，器識導將來。字體爲小篆：削瘦剛挺，結構謹嚴，鐵畫銀鈎中一派古艷古韵。大字的左邊，是一段長達一百九十二個字的跋文。跋文用的是他自成一格的『秦體』：蒼勁而不失清雅，端厚而時露樸拙。正文跋文組合成大小互補、動静得宜的畫面，是一件精美的書法作品。

正文是對我的勉勵和希冀，跋文説的則是題字的由來，記録了兩岸文化交流史上的一段往事。

那是在一九九三年，時任臺北『故宫博物院』院長的秦孝儀先生，决定在當年十一月舉辦一次曾國藩逝世雙甲子紀念活動。臺北『故宫博物院』之所以要舉辦這次活動，除開曾氏是中國近代名人外，還因爲其藏有曾氏奏摺副本，更重要的是收存著曾氏的遺物。上個世紀四十年代末，曾氏後人曾寶蓀、曾約農姐弟携帶部分曾國藩、曾紀澤父子的手迹離開家鄉，輾轉定居臺灣。十多年後，兩姐弟將所携祖上遺物無償捐獻給『故宫博物院』。爲此，這次活動安排三個内容：一是向公衆展出院内妥爲收藏的曾氏父子遺物；二是印行該院所典藏的曾氏文字，題名曰《先正曾國藩文獻彙編》，共八大册；三是召開一場大型曾國藩學術研討文。一次在臺灣，我和父親閒聊起我的小說《曾國藩》。父親一生不讀小說，讀我的小說算是例外。除開作者是他的兒子外，還因爲曾國藩是他心中的偶像。我們談得很投機，父親臉上不時露出開心的微笑。後來，我談到湘軍打下南京後，曾國藩從安慶前往南京看望前線總指揮、他的弟弟曾國荃。大勝之後的兄弟會面，與常人不同。大哥叫九弟袒衣服，背上露出處處傷疤。大哥一面撫摸傷疤，一面問他如何負的傷，何時痊癒，現在還痛不痛。十多處傷疤，一一問到，不厭其煩，終于把九弟問得嚎啕大哭。大哥安慰說：哭吧，哭吧，當着哥哥的面，你把這些年的辛勞、委屈、痛苦都哭出來吧！我並沒有料到，就在我興致勃勃大聲說話的時候，對面的父親已是老淚縱橫，情不能已了。我趕緊停了下來。我望着父親臉上一大串的淚滴，我想：父親可能又想起了他的過去，想起了他的兄弟，想起他與兒女的天各一方，[illegible]人。父親從政界，身處高位，又一向小心謹慎，話語很少，情感不外露，常給人以疏于情的感覺。但在這兩次談話中，我看出深藏于父親心中的濃濃親情和知恩報德的善良天性。

鐵畫銀鈎憶秦孝儀

搬進新家時，我將秦孝儀先生送給我的一幅字，懸挂在三樓正對着樓梯的牆上。這是一尺六寬一尺三的紙面上，用書寫十個大字的風格來作，[illegible]小篆，加裝框。結構謹嚴，線畫圓勁，深得中國古篆古韻。大字的左邊，是一段長達一百九十二個字的跋文，共文用的是他自成一體的「秦體」，遒勁而不失清雅，端莊而時露嫵媚。正文與跋文組合成大小互補、動靜得宜的畫面，是一件精美的書法作品。

正文是對我的鼓勵和肯定，跋文說的則是這幅字的由來，記錄了兩岸文化交流史上的一段往事。

那是在一九九二年。時任臺北故宮博物院院長的秦孝儀先生，決定在當年十二月舉辦一次曾國藩逝世雙甲子紀念活動。臺北故宮博物院之所以要舉辦這次活動，除開曾氏是中國近代名人外，還因爲其藏有曾氏奏摺刊本，更重要的是收存有曾氏的遺物。上個世紀四十年代末，曾氏後人曾寶蓀、曾約農姐弟帶着部分曾國藩、曾紀澤父子的手迹離開家鄉，輾轉定居臺灣。十多年後，再由後裔將所攜祖上遺物無償捐獻給故宮博物院。這次活動安排三個內容：一是向公衆展出這次收藏的曾氏父子遺物；二是印行該院所典藏的曾氏文字，題名曰《左正曾國藩文獻彙編》，共八大冊；三是召開一場大型曾國藩學術研討

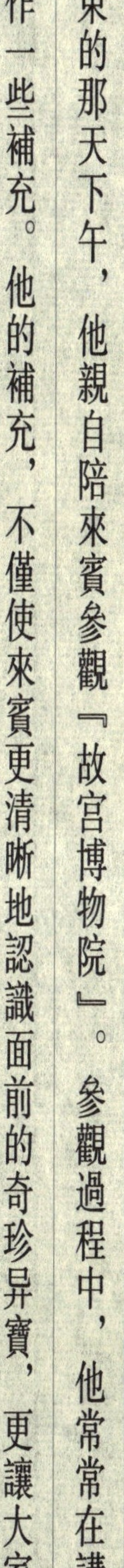

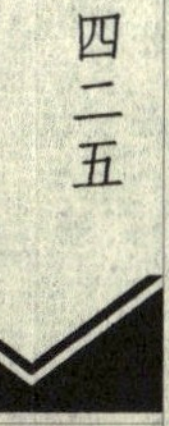

會，邀請四位專家演講。這四人，一個是臺灣『中研院』院士張玉法，一個是臺灣『中研院』近史所前所長呂實强，一個是臺灣『中研院』院士、美國普林斯頓大學教授余英時，還有一個就是我。我寫的長篇歷史小説《曾國藩》，雖然最早是與湖南文藝出版社商定的，但因種種緣故，首先推出的却是臺灣黎明文化公司。書出版後，在島内反響熱烈。不久，又發生某公司盗版被報刊披露的事件，從而使得此書在島内更受關注。

研討會一連開了兩天，很隆重，規格很高，臺灣的要員名流陳立夫、李元簇、孔德成、李焕等人都出席了，聽衆有四百多人。每個演講者講一百分鐘。我的講題是《曾國藩的生平與事功》。我可能是這幾十年來公開對臺灣大衆演講的第一人，因而頗受與會者的歡迎。

就這樣，我得以認識秦孝儀先生。在臺灣，政界、文化界都尊稱他爲秦孝老。在此之前，我知道秦孝老是湖南衡山人，一九二〇年出生在一個耕讀之家，早年就讀于上海法政大學，一九四九年隨國民黨政府來到臺灣，曾擔任蔣介石的秘書達二十五年之久。蔣的遺囑即出自他的手。這篇遺囑還刊印在臺灣漢語辭典的最後一頁上，上面有當時政界大員的簽名，還有一行字：秦孝儀謹記。于是，『秦孝儀』三字也便爲島内家喻户曉老幼皆知了，他本人也由此而塗上一層傳奇色彩。但出現在我眼前的秦孝老，却是極平凡的普通老人：中等偏低的個子，單單瘦瘦的，滿頭白髮已經稀疏，戴一副高度近視眼鏡，講一口原汁原味的衡山話，待人禮數周到，和藹可親。

研討會結束的那天下午，他親自陪來賓參觀『故宫博物院』。參觀過程中，他常常在講解員講完後，作一些補充。他的補充，不僅使來賓更清晰地認識面前的奇珍异寶，更讓大家看到這位行政長官精湛的考古專業知識和深厚的文化素養。

時值歲末，我想在臺灣陪年邁父母過年，秦孝老知道後，又爲我辦好了延期手續。就在離臺前夕，他讓工作人員給我送來已經裝裱好的這幅字。我很珍惜它，不僅僅因爲書法好，還因爲這段文字能常常唤起我的温馨回憶。

從那以後，我每次到臺灣，都要去看望他。每次他都親自走到大門口迎接，親自端茶遞果點，十分熱情。他很善于引出各種話題，然後興致勃勃地説著，使得談話氣氛歡快融洽。他告訴我們，他從小在一個清貧的家中長大。他的父親晚年失眠，未到天亮就醒來了，醒後即督促他背書。天亮後，起床洗漱完畢，就教他讀新書。夜晚時分仍要他讀書。若聽不到書聲，則用棍子打他。母親以孩子小爲由説情，父親則説，趁著我還在，讓他多讀點書，以後我死了，想讀書都難。秦孝老説，他那時雖小，也能理解父親的苦心。若這一天他的書讀得好，父親則抱他坐在腿上，剥瓜子仁給他吃。十歲時，父親去世，家境更艱難，讀書果然不易。他説，這一輩子的好學習慣，還是那些年養成的。長大後做事寫文章，也會常常想起父親當年的木棍和瓜子仁，從而不敢懈怠，努力争取最好，能得『瓜子仁』而不是『木棍』。

有一天他談起家鄉的豆腐乾，他説衡山豆腐乾是最好吃的東西。他的這番話引起了夫人

的興趣。湘鄉籍的秦夫人則說她家鄉的寒菌油纔是最好的東西。説到這裏，老夫妻倆幾乎异口同聲地說，幾十年没有吃到這些地道的湖南土産了。

還有一次，他拿出一件曾國藩文物來，和我們一道欣賞。這是曾氏親筆書寫的聯語原件：著書許氏九千字，插架鄴侯三萬籤。秦孝老説，當年，這件文物的主人開價要十萬元（臺幣），别人減價減不下來。他就説：曾文正公自己已定了三萬九千元的價格，你爲何要漲？那人一時懵懂不解。他指著下聯的『三萬』和上聯的『九千』説：這不明寫在這裏嗎？那人大笑起來，佩服秦孝老的機敏，同意以三萬九千元成交。我們當時聽了，也佩服不已。

在『故宮』附近的安静小院落内，在那間中國文化氛圍濃郁的客廳裏，聽秦孝老慢慢地風趣地叙談點點滴滴的陳年舊事，賞玩他每次必贈的以『故宮』藏品及他題字爲元素所製成的小禮品，真正是一種回味無窮的享受。在臺灣，除秦孝老外，還有一大批這樣的四十年代由大陸遷移的眼下已是風燭殘年的老人，他們的身上貫注著中國文化的氣脉，在孤懸的海島上，頑强地保持純粹的中國傳統。我有時想，他們這樣做，固然是一種個人興趣，或者提高一點來説，是一種文化堅守。但我更願意認爲，其背後所包藏的，是對故土故園的深沉悠長的思念和依戀，甚至可以説是在爲飄蕩的魂魄覓尋永久的歸宿。

秦孝老的胸腔裏積蓄的便是這種熾烈的故土情結。在一次會面時，他送給我一幅斗方，上面寫著他的近作五言詩一首：『海曙雲偏晦，年餘爆竹稀。心寒冬自暖，世變日爭馳。仁澤令垂泯，緇塵胡不歸。衰遲趨欲蹶，猶自戀春暉。』詩中流露的是一位八旬老人對島内政局演變的不安，對往昔對家園的深深眷戀。秦孝老晚年多次回大陸探親訪友。他將在大陸的所見所思，彙集在他的詩文創作中。他曾經花費很大的精力，將這些詩文，一絲不苟地用蠅頭『秦楷』寫在長篇條幅上。二〇〇五年十月，正是三湘大地的金秋季節，秦孝老在湖南省博物館舉辦他的名曰『筆力詩心』書法作品及個人收藏展。展覽美輪美奂而氣勢恢宏，一時間轟動星城。藉這個展覽，秦孝老讓家鄉知道他寓居海外五十多年來所走過的歷程，而伴隨這個歷程的，是金石翰墨，是衡岳湘水，是永遠的中華情結。不久，他便病逝臺北。『筆力詩心』展仿佛在再次印證湖南一個古老的習俗：漂泊在外的游子，是一定要在離開人世前，回到家鄉來向父老鄉親告别的。

秦孝儀先生主持臺北『故宮博物院』長達十八年。在他的努力下，該院被提升到世界級博物館的地位。他還通過這座博物院，向臺灣各界大力普及源遠流長的中華文化。近二十多年來，該院又成爲兩岸文化交流的一座重要橋梁。我曾經在心裏默默地想著，秦孝老所做的這些事，應該受到海峽兩岸中華民族共同的尊敬。令人欣慰的是，最近央視在有關故宮文物的大型紀録片中，用充滿感情的肯定語言，述説秦孝儀先生掌管臺北『故宮博物院』時期，爲中華文化的保存、弘揚所作出的重大貢獻。我的心爲此感動，想必秦孝老亦會爲此而含笑九泉。

《曾國藩》的三個抄稿人

這是上個世紀八十年代末的事了。當時，小說《曾國藩》在選題報批多次受阻後，我托人與臺灣一家出版公司聯繫。該公司負責人說可以出，但書稿必須是繁體字。我的書稿用的是簡體字，衹得請人用繁體再謄抄一遍。這種抄稿人不大好找。

有人給我推薦了一個被稱爲陳三爹的老先生。我一見陳三爹寫的字，心裏便叫起絕來：這字真是寫得太好了！不僅結體勻稱端莊，極合楷書章法，且筆勢韵致盎然，讓人覺得此中興味無窮，遠比時下書店裏賣的那些硬筆書帖要好。這樣的人願意爲我抄稿，真是我的幸運！

陳三爹的家很簡陋，不多的家具全是過時了的舊東西。三爹六十五六歲，頭髮全白了，滿臉皺紋，身材瘦削，背有點彎，披在身上的棉衣也老舊。看來，他的家境和他的身體都不太好。面對著其字與其人的如此不協調，我不禁暗自感嘆：這世上『才』和『命』真是一對很難說清楚的字眼。按理說，應該是有才幹有能力然後纔會有好命運，但現實中又多不這樣。許多混得極好的人，却無半點實用之才；而不少有真才實學的人，恰又境遇潦倒。這中間，到底還有什麽別的因素在起著更爲重要的制約作用呢？

過一段時期，我與三爹熟了。有次他對我說，他的曾祖父陳岱雲是曾國藩的同年兼親家。我很驚喜。陳岱雲是湖南茶陵人，道光十八年與曾國藩同時中的進士，又同時進的翰林院。

兩人是很要好的朋友。陳的次子遠濟剛滿月，太太便去世了。曾將遠濟抱回自家撫養，直到陳的妾進京後遠濟纔回家。後來，曾又將二女紀耀嫁給遠濟，兩家結了兒女親家。他正是二房遠濟的孫子，但他的祖母不是曾紀耀。紀耀終生未育，三十九歲時病逝法國。他的祖母是陳遠濟的繼室。三爹說，讀我的書，于他有一種親切感。聽他這麽說，我也有一種與他接近了許多的感覺。三爹告訴我，他們陳家并不風光，爺爺做了一段時期的小官後便長期賦閑，父親一生没做過正經事，他一輩子在郵局服務，兩個兒子也很普通。家裏早先還保存著一些曾國藩的信函聯語，『文革』時自己燒掉了。三爹對他當時的膽小怕事頗爲内疚。

陳三爹一個人抄不過來，我又找了一位退休的鄒老師，她曾經給我們出版社的其他編輯抄過稿。鄒老師一見我就說：『我的高祖鄒墨林替曾國藩治過病，你應該知道。』我說知道知道。曾氏的家書裏多次提到過鄒墨林，說他是個誠篤君子，吃了他開的藥方後癬疾好多了。鄒老師聽了很高興，說祖上的醫術世代都繼承了，她的父親便是鄉間的一位名醫，曾經治好不少瀕危病人，但晚年貧困，自己生病都無錢買藥。鄒老師的話令我詫异。

鄒老師的字不算好，但筆畫規矩，且有這樣一層關係，讓她爲《曾國藩》謄抄繁體字海外版，自是我很樂意的。但没有多久，她的女兒要生孩子，她不能抄了，我衹好又找人。

我想起一個認識多年的老先生來。他退休無事，字也寫得好。老先生欣然答應。半個月後，他有次笑眯眯地對我說：『我家裏有你一個忠實讀者，我邊抄她邊讀，讀得津津有味。』

他的老伴楊娭馳，平時連報紙都很少看，居然會對我的長篇歷史小說感興趣，我有點奇怪。老先生告訴我，他老伴的五世祖，就是書中的湘軍水師統領楊岳斌。楊娭馳是楊岳斌的後人？這是我根本不可能想到的事。那位叱咤風雲的水師提督，與眼下這個彎腰駝背的和善老太太，任你怎麼看，也看不出一絲半點血緣上的聯繫。我當面問楊娭馳。她笑著說一點不假，她是楊岳斌的嫡親玄孫女。我又問她祖上後來的情況如何。她嘆口氣說，因爲家裏有錢，子孫都不務正業，賭錢打牌抽鴉片，坐吃山空，到第三代，家業就全敗光了。楊家這百把年裏，就沒有一個提得出名字的人來。這話讓我心裏充滿了蒼涼感。

一部《曾國藩》的三個抄稿人，居然就有兩個半是書中人物的後人，這真是一件有趣的事。我忽然意識到，我寫的那段歷史雖然離今天有一百多年了，但在精神上似乎與現在還關聯很緊。在三湘四水，在大江南北，不知有多少與書中人物關係密切的人，與我共同生活在一片藍天下，他們無疑會對這部書有著一層天然的感情；其他的千千萬萬讀者，也會因爲各種緣故，與那個逝去的時代有著千絲萬縷的聯繫，他們也一定會有興趣讀它。若提升一步來看，這正是我們常說的民族感情。因爲我們同血脉同民族，所以纔有共同的歷史，共同的文化，共同的價值趨嚮。想到這裏，我頓覺手中的書稿變得沉重起來。它雖然是小說，但也不能隨意编造，作爲該書的作者，我要對千百萬讀者負責，對歷史負責。心裏隨之作出一個決定：暫緩交付出版，我還得將它再來一番打磨。

政敵與親家

五六年前的一天，我收到一封來自北京大學的讀者來信。信的開頭寫道：我是楊度的孫子。我的心有點緊張起來：是不是小說《楊度》有冒犯之處而引來後人的抗議？我一目數行地掃射過後，慢慢安寧下來。寫信的楊先生是一位有著教授頭銜的化工部高級專家，楊氏家族的長房次孫。他說讀了我的小說很高興，説我對他祖父的瞭解比他還要多，還要深刻，要以楊度後人的身份感謝我。信上還說，他的太太是梁啓超的外孫女，書中有關梁啓超的情節，也讓她感到親切。他們歡迎我到北京時去他北大家中做客。

楊度與梁啓超居然成了孫兒女親家，這太有趣了，實在可算得上一段學界佳話！從開卷的公車上書時楊梁在京師結識，到結尾部分楊梁政治上的分道揚鑣，《楊度》這部小說，寫了不少有關兩人交往的情節。中國近代史册上記録了他們交往中的兩件大事。

一是一九〇三年，身爲留日學生會總幹事的楊度寫了一首《湖南少年歌》。這首長達二百四十六句的歌行巨製曾經在中國知識界産生了很大的影響，以至于今天還有人樂于引用其中的名句：『若道中華國果亡，除非湖南人盡死。』這首《湖南少年歌》最先發表在東京出版的《新民叢報》上，而該刊的主编正是亡命日本的梁啓超。梁在發表時，還加了一段熱情洋溢的贊語，說『欲見純粹之湖南人，請視楊皙子』。二是一九一六年，楊度作爲籌安會

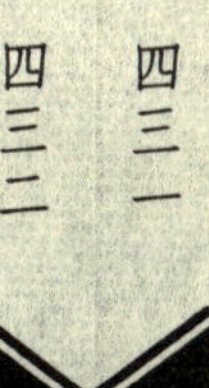

六君子之首拼命爲袁世凱登基出謀劃策奔走效力。他竭力拉攏梁，想藉梁的政治聲望爲袁撐門面。梁不爲所動，并公開發表聲明：即便全體國人都贊成，他一人也斷不能贊成袁世凱復辟帝制的倒行逆施。

這兩件事構成了鮮明的對比：前者説明他們曾是志趣相投的戰友，後者説明他們是勢不兩立的政敵。

一九二九年、一九三一年，梁啓超、楊度先後以五十多歲的壯盛之年辭別人世。在他們的生命晚年，未見有二人和好的記載，也未見他們的家人有什麽交往。他們的孫輩是怎麽結成姻緣的？這位楊教授的長相像不像照片上的楊度？我真想去一趟北大拜訪他們。

不久，一個絶好的機會來到了。中央電視臺《讀書時間》欄目邀我進京做一期關于《楊度》的節目。我提到了這件事，他們也很興奮，欣然跟我一道走進北大蔚秀園楊宅。主人原來是一個很體面的男子漢。他有近一米八的個頭，國字臉，五官端正，不戴眼鏡，六十出頭的人，腰板筆挺，舉止言談跟一個五十歲的中年人差不多。我問他，您的祖父有您高嗎？他説聽父親講比我還高。我説湖南人的個子都不高，老一輩的更矮些，您的祖父在當時可謂是鶴立鷄群，怪不得惹不少女性喜歡。我原先不知道，若早知道的話，楊度的風流故事還可多寫點。我的話引來楊教授的哈哈大笑。

楊教授的太太吴教授個子較矮，但勻稱，雖不事打扮，却氣質清秀文雅。人們常説男才

女貌是天作之合，他們這兩位可謂男是有才又有貌，女是有貌又有才，真是天造地設。他們是在一次優秀中學生集會上認識的，後來再相知相愛。認識不久，楊教授就知道吴教授的不凡身世。因爲吴教授的母親梁思莊是北大圖書館館長，人人都知道她是梁啓超的女兒。但吴教授却一直不知道楊教授的祖父是什麽人，直到結婚前夕纔得知實情。楊教授笑著説，她的外祖父是個了不起的人，我的祖父名聲很不好，我若早告訴了她，她家裏一定會嫌弃的，這門婚事就成不了。

楊教授告訴我，楊度的共産黨員身份公開前，儘管社會對他持否定態度，但毛主席關心他。一九四九年春天，毛主席會見了時爲國民黨和談代表的章士釗，閑聊時談到楊度，并問到楊的子女情況。章説代表團中有一個隨員就是楊的兒子。毛主席對章説，你問他願不願爲共産黨做事，若願意，可以留在北京。楊度的這個兒子，便是楊教授的父親、從德國回國不久的機械專家楊公庶。楊公庶因此而留在了北京。這是一樁至今不爲外界所知的史事。

楊教授的一家是幸福的。他們的獨子在人民大學做教授，孫子已上幼稚園。我端詳著放在客廳鋼琴架上的那個小家夥的照片：健康、活潑，一副聰穎模樣，尤其是那對大眼睛，很有高祖的餘韵，衹是高祖的眼睛裏流露的是凝重憂鬱的目光，而玄孫的雙眸則充溢著歡快無邊的神采。倘若真的地下有知的話，楊度、梁啓超這對政見不同的親家，看到他們後人今天的幸福生活，該有多麽高興！

事業與胸襟

人們都很看重事業，渴望事業有成，因爲事業太重要了。于社會而言，各行各業支撑著人世大厦，豐富了人間萬象。社會需要三百六十行，更需要在各自行業中愛崗敬業、幹出成績來的人。從個人來説，事業是安身立命之所，是內心充實的最重要依據，也是實現人生價值的一條最好途徑。人，是不能没有事業的。

但事業也給人帶來勞累和煩心。許多人一年到頭忙碌奔波，仿佛一隻被人抽打的陀螺，身不由己地高速運轉著；也有許多人，常常會被工作中的困難、挫折、諸多不順弄得煩躁、苦惱、怨尤、鬱悶、不平甚至憤恨，這些『横氣』却不知如何消解；還有不少人，爲自己的事業立下一個又一個目標，爲了實現這些目標，年復一年疲于奔命身心交瘁，雖然成績可觀，却没有多少樂趣和興味可言。但現實生活中，亦有許多人是事業有成，活得也有滋有味。如此差别，此中原因自然很多，其中一個不可忽視的因素那就是胸襟。曾國藩説人生辦事全仗胸襟。他是一個做出大事業的人，這句話應是他本人的切身體會。

胸襟是胸懷、襟抱，或者還可以説得更具體些，是一個人的內心對外部世界的吐納。面對著千姿百態、複雜紛繁的世界，你的胸腔裏能容納什麽，捨弃什麽，接受什麽，拒絶什麽，喜好什麽，排斥什麽，追求什麽，厭惡什麽，如此等等，都是胸襟的表現。

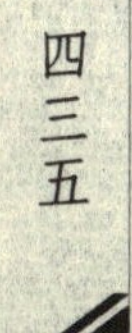

胸襟有大小的不同。闊大的胸襟，大到世間無任何物體可與之比擬，故而雨果説：『比大地寬廣的是海洋，比海洋寬廣的是天空，比天空寬廣的是人的心胸。』佛寺中有一個彌勒佛殿。彌勒佛與其他佛爺相比有兩個顯著的特點，一是咧開嘴巴大笑，一是腆著大肚子。彌勒佛的兩旁還有一副聯語：大肚能容，容天下難容之事；開口便笑，笑世間可笑之人。這是一尊胸襟寬闊的佛。秦國丞相范雎是另外一種態度。《史記》上説他是『一飯之德必償，睚眦之仇必報』。看來，此人是一位胸襟狹窄的高級官員。

胸襟也有品性上的差异。有的人胸襟光明磊落，表裏如一，有關愛之心，無害人之意。有的人則陰暗卑濁，一天到晚算計著别人，心裏琢磨的多爲損人利己。宋史載司馬光襟懷坦白，平生無不可對人説的話，無不可見人的事。唐史載李林甫當面好話説盡，背地裏壞事做絶，被稱爲口蜜腹劍。這兩人是胸襟品性差异上的兩個極端。

具彌勒佛那等胸襟，凡人難以做到，但可以向『豁達大度』的方向去努力；同樣，如司馬光那樣的通體透明，普通人也不易爲，但用功于『淡泊灑脱』却是可行的。當擁有一個豁達大度又淡泊灑脱的胸襟時，我們的生活狀態就會有另一番面貌了。

豁達大度使我們在與人打交道中不去斤斤計較，也不會對嫌隙耿耿于懷。鷄蟲得失，尺寸過節，一笑置之。豁達大度讓我們視困難與挫折爲必不可少的人生經歷，將苦難化爲財富，將痛苦變爲激勵。豁達大度會讓我們明白，人生苦短，最長亦不過百年，你對這個世界其實

事業與閱歷

人們都很看重事業，因爲事業太重要了。于社會而言，各行各業支撐着人生大廈，豐富了人間萬象。社會需要三百六十行，更需要在各行業中發展事業，由此成就一個又一個人生。就一個人來說，事業是立身之本，是內心充實的最重要依據，也是實現人生價值的一條最好途徑。人，是不能沒有事業的。

但事業也給人帶來了煩惱。許多人一年到頭爲事業打拼，身不由己地高速運轉着，也有許多人常在工作中的困難、挫折、諸多不順心的事中苦惱、鬱悶，甚至憤懣。這時，不用如何消解，還有不少人，爲自己的事業立了一個又一個目標，一年又一年，身心交瘁，難以放鬆。

事業與閱歷，是相互影響、相互依存的。一個人的事業，是他閱歷的積累；一個人的閱歷，又是他事業的延伸。是一個人的內心對外部世界的一面。面對千姿百態、複雜紛繁的世界，你能容納什麼，接受什麼，拒絕什麼，排斥什麼，也不去想什麼，計較什麼，都是隨意的表現。

胸襟有大小的不同。偉大的胸襟，大到世間無任何物體可與之比擬，故而兩者一比，比大地寬廣的是海洋，比海洋寬廣的是天空，比天空更寬廣的是人的心胸。「一個人心中有一個瀟灑的世界。」

《史記》上說過：「是一種心境，一種修養。」是開口便笑，笑世間可笑之人。這是一種大肚能容，容天下難容之事。

豁達之人也有品格上的差異。有的人胸襟寬闊，表裏如一，有容人之心，無害人之意。有的人則陰險狡詐，外表寬容，內心狹隘，面對事非，不可推卸；對人則不可捉摸。

豁達大度使我們在與人打交道中不去斤斤計較，也不會對嫌隙耿耿於懷。豁達大度又使我們在瀟灑的生活中保持一份淡泊，一份寧靜。

豁達大度讓我們明白困難與挫折是必不可少的人生經歷，將苦難化爲財富，將痛苦變爲歡樂。豁達大度會讓我們明白，人生苦短，最長亦不過百年，你對這個世界其實所需不多，故而不要有太多的索求。

淡泊灑脱讓我們淡化與人的争鬥之心。事業上的競争固然不可免，但每個人的能力不同、境遇不同，不要過分攀比，强己所難。淡泊灑脱也可以使人在競争中消弭害人之心。其實，在和平年代裏的各類競争，憑的都是自我實力，少有靠害人而取勝者。淡泊灑脱還可以幫助我們看透名利權位，知道這些閃光的誘惑，最終是虚幻短暫的，人生最重要的是心靈上的愉悦、自我價值的實現。有名利權位固然好，但若以犧牲心靈愉悦、自我價值去换取，則大可不必。電視連續劇《我愛我家》主題歌中有一句唱得好：『當明天變爲昨天，昨天成爲永久的紀念，内心的平静那纔是永遠。』這『内心的平静』就是淡泊灑脱的心境。它會逐漸教會你欣賞創立事業的過程，在過程中品味人生百味，苦中作樂、忙中偷閑。究其實，生命最可寶貴的是它的過程，而不是其結果。我們民族的文化一向看重的是結果，而不是過程。過分强調結果，往往容易導致不擇手段的實用主義，而以成敗論英雄等相關觀念也便由此派生。這應該是傳統文化的一個不足之處。

人生不能没有事業，人生更不能没有良好的胸襟，事業帶來的是屬于身外的成就，胸襟帶來的是屬于生命本身的樂趣。孔子説：『君子坦蕩蕩，小人長戚戚。』孔子這裏所説的，實際上是一個胸襟的區别。有了磊落坦蕩的胸襟，即便一簞食一壺漿，也樂在其中；反之，則雖軒車駟馬，亦易患得患失，長年在戚戚中度過。成功的事業與豁達淡泊的胸襟相結合，

人生將會進入一個新境界。

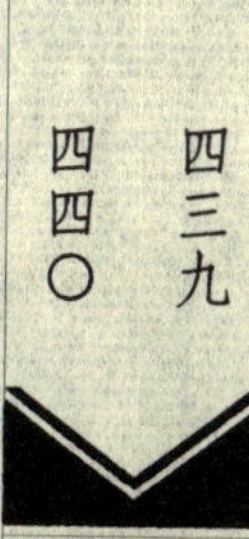

符號與本體

眼下，深秋的陽光正從岳麓山方嚮照射過來，慷慨地注滿辦公室。我坐在寫字臺邊，望著窗前那兩株葱綠的闊葉藤，心裏有一股融融暖意。我在等待一個約好的朋友。他該到未到的這段時間，却意外地成了今天下午我的一段空閑。我一時不知做什麽，隨手翻開名曰『九色鹿』的讀書筆記本，目光落在一段話上：『我們已經習慣把「符號」看做是「真實」，如金錢、買賣、交易、利率和國民生産毛額等，用中古世紀邏輯學家的話來説，整個社會的認知就是：符號取得了實質，而所代表的物體却成了影子。』這是三年前，我在旅居臺灣時，從所讀的一本書上摘抄下來的。書名和作者名都已記不起了，衹記得是一本外國人寫的書。

我抄下這段話，是因爲它引起我的共鳴。這種感覺我早就有了，衹是没有寫出一段話來表述罷了。當然，我若要寫，絶對寫不出這等準確而透徹：用理論文字來表達思想認識，向來非我所長。

用符號來代表物體，毫無疑問是人類的一個偉大發明，是文明發展史上的一個重大突破。就拿交易來説，倘若没有貨幣，人類一直沿襲著最古老的以物易物的交换方式，一個以生産農作物爲主的國家，要想以糧食來换取一架飛機，這筆生意真的不知如何來完成。但符號一旦用得久了，它與所代表的物體之間的區别就變得越來越模糊，甚至于那個本體倒反而不存在了，符號成了一切。這種現象隨處隨時都存在，但人們一般不會去多想，也不會去細究，衹有到了某個特殊的時候，此中差别纔會明顯地表露出來。

有一個小故事，説的是一場洪水突然降臨，一個富人不假思索地便帶著一包銀子逃出家門，一個窮人無銀子可帶，衹好背一袋紅薯出逃。兩人都跑到一座山頭上。不料，洪水一直不退，到了第二天兩人都餓了。窮人有紅薯吃，富人不能吃銀子，衹得乾餓。第三天，洪水依舊不退，富人便提出用銀子來買窮人的紅薯。窮人説，可以，但一個紅薯要賣一兩銀子。富人捨不得，不願買。熬到下午，實在餓得不行了，富人同意做這筆買賣，但窮人漲價了，要二兩銀子纔能買一個紅薯。富人認爲窮人是在敲詐，于是放弃。到了第四天，富人咬著牙關，終于同意用二兩銀子買一個紅薯，而窮人却不賣了，説過兩天你餓死了，所有的銀子都是我的，這筆買賣就用不著做了。

符號與物體的區别，衹有在這種時候，纔鮮明地表現出來。不過，自古以來，哲人倒是一直在不停地觀察思索這種現象。佛學大概是研究這類世相的最博大精深的學問。它的『色』與『空』的内涵，比起中國傳統語境中的『真』與『幻』來，更顯得豐富而深刻。

文字或許是所有符號中最爲重要的符號。我學習文字、痴迷文字幾近一生。這二十多年來，又用文字構築自己的寫作事業。但文字畢竟衹是符號，它不是它所代表的那個物體的本身。今天，再次翻閲這段摘録，我不禁心中悚然：我是從文字中認識一百多年前的那個時代

符號與本體

眼下，深秋的陽光正從容地由西方照射過來，映在我寫字臺邊。望著窗前兩株樹的陽光，有一個「

的這段時間，我意外地讀了一本古書，書中有一段話說「九位」

買賣。文字，本來是用來表達思想的工具，用中古世紀的邏輯學家的話來說，如

的讀書筆記本，目光落在一段話上：

一本書上面的文字，當然並非就是文字所代表的東西。

並非如此，這段話來

表達了一種思想。用理論文字來表達思想，本非我所長。

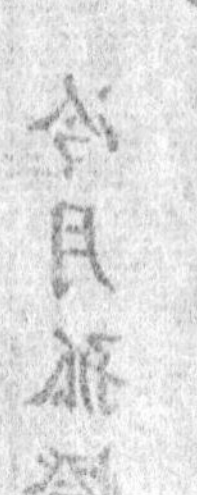

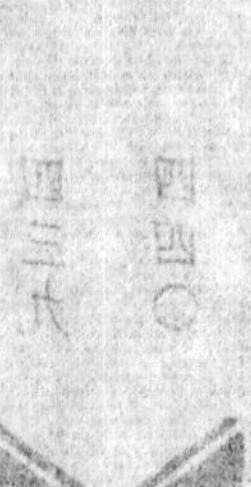

在？不，誤讀了一切。這種現象確實存在，但人們一般不會去多想，也不會去追究。

有一個小故事，說的是洪水突然降臨，一個富人不設法逃出家門，一個窮人無錢可帶，便扛了一袋米逃到山頂上。兩人都逃到山頂上，不料，洪水一直不退，過了三天，富人餓得不行，便拿出金子換米，窮人不肯。第三天，洪水依舊不退，富人拿出金條換米。用二兩金子買一兩米，而窮人卻不賣了。

買賣就用不著了。

符號與物體的區別，只有在言語間才清楚地表現出來。不過，自古以來，許多人卻一直在不停地觀察思索這種現象。佛學大概是研究這種世相的最偉大最深邃的學問。它的「色」與「空」的內涵，比起中國傳統語境中的「真」與「幻」來，更顯得豐富而深刻。

文字並非是所有符號中最為重要的符號。我學習文字，接近一生。這二十多年來，又用文字精密包裹自己的寫作事業。但文字畢竟只是符號，它不是它所代表的那個物體的本身。今天，再次翻閱這段論述，我不禁心中釋然：我是從文字中認識一百多年前的那個時代

和人物的，彼『符號』與彼『物體』之間，到底相差多遠呢？我又藉助于文字來向讀者展現一百多年前的那個時代和人物，此『符號』與此『物體』之間，又會相差多遠呢？這樣説來，二十多年間，一直被自己視爲極有意義的這項寫作事業，它的意義究竟何在呢？越往深處想，我越困惑，也越惶恐。幸而，約定的朋友此時已到了，我立即中止這個怪誕的想法。

冷月孤燈：唐浩明讀史隨筆集

LENGYUE GUDENG:
TANG HAOMING DUSHI SUIBI JI

作　　者：唐浩明
責任編輯：黄金武　劉　文
責任校對：舒　舍
封面設計：胡　勇

岳麓書社出版發行
地址：湖南省長沙市愛民路47號
電話：0731-88804152　0731-88885616
郵編：410006
岳麓書社網址：www.yueluhistory.com
版次：2018年8月第1版
印次：2021年4月第2次印刷
筒頁：234
字數：370千字
ISBN 978-7-5538-0953-3
定價：500.00圓

承印：金壇市古籍印刷廠
如有印裝質量問題，請与本社印務部聯繫
電話：0731-88884129

圖書在版編目(CIP)數據

冷月孤燈：唐浩明讀史隨筆集/唐浩明著.—長沙：岳麓書社，2018.8（2021.4重印）
ISBN 978-7-5538-0953-3

Ⅰ.①冷… Ⅱ.①唐… Ⅲ.①中國歷史—文集
Ⅳ.①K207-53

中國版本圖書館CIP數據核字（2018）第284819號